2—

Exerçons-nous

Grammaire

350 exercices
Niveau débutant

J. BADY,
I. GREAVES, A. PETETIN
Professeurs aux Cours de Civilisation
française de la Sorbonne

H
HACHETTE F.L.E.
26, rue des Fossés-St-Jacques
75005 PARIS

Sommaire

La phrase simple

La phrase complexe

- Les **astérisques** (*) signalent des exercices d'un niveau un peu plus difficile.
- Quand le **ne explétif** est employé, il est présenté entre parenthèses.
  Exemple : Le public bavarde avant que le rideau (ne) se lève.
- La contraction des prépositions « **à** » et « **de** » avec l'article défini doit être faite par l'étudiant.
  Exemple : La visite de ... musée → La visite **du** musée.
  L'enfant a mal à ... cœur → L'enfant a mal **au** cœur.

Dessins : Emile Bravo
Maquette de couverture : Version Originale.
ISBN : 2-01-015733-8
ISSN 1142-768X

Introduction

Ce livre est destiné aux étudiants , débutants ou faux débutants, qui ont besoin de connaître, de comprendre et de savoir utiliser des structures simples en français.

Par des exemples précis, des applications pratiques et progressives, il s'adresse aussi bien à l'étudiant travaillant seul qu'aux classes de français langue étrangère.

Confrontées chaque jour aux difficultés d'étudiants dits « faux débutants » et qui souvent n'ont aucune base solide permettant de s'exprimer en français, nous nous sommes efforcées de leur fournir ici, sous forme d'exercices, une approche progressive et systématique de la phrase dans la langue courante d'aujourd'hui.

Notre démarche, d'apparence traditionnelle, ne déroutera personne. Nous insistons spécialement sur l'apprentissage de la conjugaison et de l'emploi des temps essentiels, mais aussi sur la diversité des compléments et sur l'enchaînement des phrases.

La progression des chapitres (articles, noms, adjectifs, verbes...) va de la phrase simple à la phrase complexe. À l'intérieur de chaque chapitre, on trouvera des exercices d'application pure. Ceux-ci, précédés d'exemples illustrant de façon implicite la règle à appliquer, permettront l'acquisition ou le renforcement des structures fondamentales. À intervalles plus ou moins réguliers, sont proposés des exercices de révision partielle, relayés en fin de chapitre par des textes ou des entraînements créatifs permettant une révision générale.

Le vocabulaire, choisi dans le domaine de la vie quotidienne, se développe assez rapidement. Les termes sont volontairement réutilisés tout au long du livre, pour permettre une mémorisation sûre.

En suivant pas à pas cet ouvrage, l'étudiant apprendra à éviter les erreurs classiques du débutant, tout en acquérant les structures correctes du français actuel.

L'enseignant, lui, y puisera, au fur et à mesure de ses cours, des applications immédiatement disponibles et vérifiées expérimentalement.

Les auteurs

1

La structure de la phrase Les verbes être et avoir

1.

A/ Écrire le verbe être **au présent :**

1. Moi, je *(être)* journaliste.
2. Toi, tu *(être)* anglais.
3. Lui, il *(être)* ingénieur.
4. Elle, elle *(être)* secrétaire.
5. Nous, nous *(être)* musiciens.
6. Vous, vous *(être)* étrangers.
7. Eux, ils *(être)* étudiants.
8. Elles, elles *(être)* françaises.
9. Lui, il *(être)* marin.
10. Moi, je *(être)* pilote.

B/ Mettre c'est **ou** ce sont :

1. Ce *(être)* un journaliste.
2. Ce *(être)* une secrétaire
3. Ce *(être)* un ingénieur.
4. Ce *(être)* des musiciens.
5. Ce *(être)* des Allemandes.
6. Ce *(être)* des étrangers.
7. Ce *(être)* un Anglais.
8. Ce *(être)* des étudiants.
9. Ce *(être)* un marin.
10. Ce *(être)* un pilote.

C/ Écrire le verbe être **au présent** :

1. Pierre *(être)* malade.
2. Paul et moi, nous *(être)* fatigués.

3. Je *(être)* blond(e).
4. Marie *(être)* grande.
5. Nicolas et toi, vous *(être)* français.
6. Les exercices *(être)* difficiles.
7. Tu *(être)* aimable.
8. Je *(être)* seul(e).
9. Nous *(être)* petits.
10. Tu *(être)* brun(e).

D/ Mettre les dix dernières phrases à la forme négative :

Je *(être)* espagnol, tu *(être)* portugais.
→ *Je **ne** suis **pas** espagnol, tu **n'**es **pas** portugais.*

2.

A/ Écrire le sujet :

1. ...... est un garçon charmant.
2. ...... est blond.
3. ...... suis chauffeur de taxi.
4. ...... sont dans la rue.
5. ...... n'êtes pas à Paris.
6. ...... sommes en France.
7. ...... n'est pas une belle voiture.
8. ...... sont des livres d'histoire.
9. ...... es assis.
10. ...... êtes debout.

B/ Trouver un sujet et accorder le verbe :

1. ...... *(être)* dans la rue.
2. ...... *(être)* sur la table.
3. ...... *(être)* sous le lit.
4. ...... *(être)* à Paris.
5. ...... *(être)* à la maison.
6. ...... *(être)* à table.
7. ...... *(être)* à l'heure.
8. ...... *(être)* chez le boulanger.
9. ...... *(être)* en France.
10. ...... *(être)* en vacances.

3. Écrire le verbe avoir **au présent :**

A/
1. Je *(avoir)* une voiture.
2. Tu *(avoir)* un chat.
3. Elle *(avoir)* des lunettes.
4. Dans le jardin, on *(avoir)* une piscine.
5. Il *(avoir)* une moto.
6. Nous *(avoir)* un jardin.
7. Vous *(avoir)* les yeux bleus.
8. Ils *(avoir)* une grande maison.
9. Monsieur et Madame Dubois *(avoir)* deux enfants.
10. En France, on *(avoir)* un Président de la République.

B/ 1. Il y *(avoir)* un homme à la fenêtre.
2. Il y *(avoir)* une lettre dans la boîte.
3. Il y *(avoir)* des clients dans le magasin.
4. Il y *(avoir)* des arbres dans le jardin.
5. Il y *(avoir)* trois tasses sur la table.

4.

A/ Trouver un sujet :

1. ...... avons des livres.
2. ...... ai une montre.
3. ...... a un stylo.
4. ...... as un beau bébé.
5. ...... avez des amis.
6. ...... ont un bon médecin.
7. ...... y a un oiseau dans la cage.
8. ...... y a des plantes sur le balcon.
9. ...... ai un passeport.
10. ...... a une valise.

B/ Imaginer la fin des phrases :

1. Nous avons ......
2. J'ai ......
3. Nicolas et Paul ont ......
4. Dans la rue, il y a ......
5. Tu as ......
6. Vous avez ......
7. Marie a ......
8. Les petites filles ont ......
9. On a ......
10. Ils ont ......

C/ Trouver un sujet et accorder le verbe :

1. ...... *(avoir)* chaud.
2. ...... *(avoir)* froid.
3. ...... *(avoir)* faim.
4. ...... *(avoir)* soif.
5. ...... *(avoir)* sommeil.
6. ...... *(avoir)* mal à la tête.
7. ...... *(avoir)* peur.
8. ...... *(avoir)* l'air malade.
9. ...... *(avoir)* besoin d'argent.
10. ...... *(avoir)* envie de chocolat.

5.

A/ Écrire au présent :

1. Je ne *(être)* pas jeune. Je *(avoir)* soixante-dix ans.
2. Tu ne *(être)* pas vieux. Tu *(avoir)* vingt ans.
3. C'*(être)* un adolescent. Il *(avoir)* quinze ans.
4. Elle *(être)* âgée. Elle *(avoir)* soixante-quinze ans.
5. Nous *(être)* des enfants. Nous *(avoir)* des parents.

6. Vous *(être)* des parents. Vous *(avoir)* des enfants.
7. Ils *(être)* professeurs. Ils *(avoir)* des élèves.
8. Elles *(être)* secrétaires. Elles *(avoir)* des patrons.
9. Moi, je *(être)* pianiste. Je *(avoir)* un piano.
10. Eux, ils *(être)* riches. Ils *(avoir)* un bateau.

B/ Retrouver la structure de la phrase et accorder le verbe :

Étrangère – elle – être.
Avoir – elle – un passeport.
→ *Elle est étrangère. Elle a un passeport.*

1. Française – la jeune fille – être.
   Elle – une carte d'identité – avoir.
2. Vous – roux – être.
   Des cheveux roux – avoir – vous.
3. Être – nous – bruns.
   Avoir – des cheveux bruns – nous
4. Blond – être – tu.
   Tu – des cheveux blonds – avoir.
5. Être – grand – je.
   Une grande taille – avoir – je.
6. Tu – petit – être.
   Avoir une petite taille – tu.
7. Gros – être – il.
   Il – un grand appétit – avoir.
8. Être – le garçon – maigre.
   Un petit appétit – il – avoir.
9. Mince – elle – être.
   Avoir – elle – vingt ans.
10. Ils – être – forts.
    Ils – de la force – avoir.

6.

A/ Compléter les phrases par un sujet ou un verbe :

1. Aurélie ...... étudiante. ...... est française.
2. Elle ...... blonde. Elle ...... les yeux verts.
3. Elle ...... deux frères. Ils ...... à Paris.
4. Ils ...... un grand appartement. ...... est confortable.
5. Les parents d'Aurélie ...... commerçants.
6. Ils ...... un magasin de vêtements.
7. Ils ...... beaucoup de clients. Ils ...... riches.
8. Le magasin ...... dans le cinquième arrondissement.
9. Dans la boutique, ... y a deux vendeuses. ...... sont jeunes.
10. Il y ...... des prix intéressants. ...... est une bonne boutique.

B/ Compléter les phrases :

J'ai un avion. Je suis ......
→ *J'ai un avion. Je suis* ***pilote****.*

1. J'ai un piano. Je suis ......
2. Elle a des malades. Elle est ......

3. Boris a un visa. Il est ......
4. Anne a une machine à écrire. Elle est ......
5. Ils ont un magasin. Ils sont ......

C/ Compléter par une des expressions suivantes : avoir faim – avoir froid – avoir peur – avoir mal à la tête – avoir chaud.

1. Nous sommes en Grèce. Nous ......
2. Vous êtes en Alaska. Vous ......
3. Natacha est fatiguée. Elle ......
4. Les enfants sont à table. Ils ......
5. Le chien est sous le lit. Il ......

D/ Trouver la réponse :

1. Il est blanc, noir ou gris. Il a de longues moustaches. Il mange les souris ; c'est ...... ?
2. Elle est petite. Elle est grise ou blanche. Elle a de petites moustaches. Elle a peur du chat, c'est ...... ?
3. Alain est grand. Il est mince. Il a les yeux bleus. Il est jeune. Il a vingt ans. Il a deux frères. Il est étudiant à Paris. Et vous ?

Les articles

1.

A/ Mettre l'article défini qui convient : le – la – les.

1. ...... lit est dans ...... chambre.
2. ...... téléphone est sur ...... bureau.
3. ...... assiettes sont sur ...... table.
4. ...... livres sont dans ...... bibliothèque.
5. ...... plantes sont sur ...... balcon.
6. C'est un paquet ; voici ...... haut, voici le bas.
7. ...... hauteur, ... longueur, ... largeur sont égales.
8. Dans la gare, ... hall est très grand.
9. À Paris, dans le métro, il y a la station ...... Halles.
10. ...... Hollande est un pays européen.

B/ Mettre l'article défini élidé : l'.

1. ...... ascenseur est dans ...... immeuble.
2. ...... autobus est dans ...... avenue.
3. ...... ingénieur et ...... architecte sont dans ...... usine.
4. ...... étudiant et ...... étudiante sont à ...... université.
5. ...... été est chaud et ...... automne est frais.
6. ...... hôtel et ...... hôpital sont dans la rue principale.
7. En France, ... hiver est une saison froide.
8. ...... homme d'affaires a ...... habitude de beaucoup travailler.
9. ...... horloge n'est pas à l'heure.
10. ...... histoire n'est pas drôle.

C/ Mettre l'article défini qui convient :

...... samedi matin, dans ...... rue principale du village, ... marchands mettent ...... marchandises sur ...... trottoirs. ...... porte de ...... boulangerie est toujours ouverte. ...... restaurant est vide mais ...... café est très animé. ...... patron parle ...... anglais et comprend ...... espagnol. ...... boucher est aimable, et ...... employé de ...... banque est souriant. Dans ...... village, ... atmosphère est bonne.

2.

A/ Mettre l'article défini contracté qui convient : au – aux.

Marie est ...... restaurant et mange une tarte ...... pommes.
→ *Marie est **au** restaurant et mange une tarte **aux** pommes.*

1. Madame Renoud est ...... marché.
2. Sébastien a mal ...... dents.
3. Il y a des rideaux ...... fenêtres.
4. Marc et Stéphane sont ...... cinéma.
5. À midi, les gens vont ...... restaurant.
6. Les boîtes ...... lettres sont jaunes en France.
7. Le bœuf ...... carottes est un plat français.
8. Il y a une librairie ...... coin de la rue.
9. Monsieur Piron n'est pas ...... bureau.
10. Il y a beaucoup de gens ...... heures d'ouverture de la poste.

B/ Mettre l'article défini contracté qui convient : du – des.

C'est l'adresse ...... magasin et le nom ...... propriétaires.
→ *C'est l'adresse **du** magasin et le nom **des** propriétaires.*

1. Les yeux ...... chat sont gris.
2. La peau ...... bébés est douce.
3. La moto ...... facteur est rapide.
4. Le goût ...... piments est fort.
5. Le titre ...... journal est « Le Monde ».
6. La vie ...... grands sportifs est dure.
7. Le passeport ...... journaliste est plein de visas.
8. L'état ...... routes en hiver est mauvais.
9. L'arrivée ...... train est à 9 heures.
10. J'aime le parfum ...... fleurs.

3. Mettre l'article défini ou l'article défini contracté :

1. La situation de ...... entreprise n'est pas bonne.
2. L'entrée de ...... hôtel est claire.
3. Il a des bottes à ...... pieds.
4. Le sommet de ...... montagne est à deux mille mètres.
5. Il mange un pain à ...... raisins pour le goûter.
6. La réponse de ...... directeur est positive.
7. Dans la voiture, l'enfant a mal à ...... cœur.
8. Les uniformes de ...... hôtesses sont élégants.
9. L'ingénieur est à ...... étranger.
10. Nous sommes à la fin de ...... vacances.
11. Nathalie est à ...... piscine.
12. La visite de ...... musée est intéressante.
13. Ma sœur est à ...... hôpital.
14. Le ministre de ...... Transports voyage beaucoup.
15. En Europe, le cycle de ...... saisons est régulier.
16. Les dentistes sont à ...... congrès de Mexico.
17. Les promeneurs vont à ...... parc, le dimanche.
18. La statue est à ...... centre de ...... jardin.
19. La boulangerie est en face de ...... banque.
20. L'avion passe à ...... milieu de ...... nuages.

4. Mettre les phrases au pluriel :

1. La moto est dans la rue. les motos sont dans les rues.
2. Le client du magasin est à la caisse. les clients des magasin sont ~~à la~~ aux caisses.
3. La clé n'est pas sur la porte de la chambre. les clés ne sont pas sur les portes des chambres
4. Le passeport de l'étranger est dans la valise. les passeports des étrangers sont dans les valises
5. La boulangerie est au coin de la rue. les boul. sont aux coins des rues.
6. La cage de l'oiseau est sur le balcon. Les cages des oiseaux sont sur les balcons.
7. C'est l'adresse de l'ami de Didier. Ce sont les adresses des amis de Didier.
8. Le bar de l'hôtel est à côté du restaurant. les bar des hôtels sont à côté des rest.
9. Après la visite du musée, l'enfant est fatigué. Après les visites des musées, les enfants sont fatigués.
10. Ici, il y a le jardin et la maison du sculpteur. Ici, il y a les jardins et les maisons des sculpteurs.

5.

A/ Mettre l'article indéfini qui convient : un – une – des.

1. C'est ..un.. garçon charmant.
2. C'est ..une.. une belle voiture.
3. Ce sont ..des.. exercices difficiles.
4. C'est ..un.. médecin ; il travaille dans ..un.. hôpital.
5. Dans la boîte aux lettres, il y a ..une.. lettre, ..un.. journal, et ..des.. publicités.
6. C'est ..un.. musicien ; il travaille dans ..un.. orchestre.
7. Sur le balcon, il y a ..des.. plantes et ..une.. cage avec ..un.. oiseau.
8. Dans le village, il y a ..une.. église, ..un.. château et ..des.. jardins publics.
9. Dans un magasin, il y a ..un.. vendeur et ..des.. clients.
10. Au café, il y a ..des.. étudiants, ..des.. touristes et ..des.. dames avec ..des.. chiens.

B/ Mettre au pluriel :

1. C'est un exercice. Ce sont des exercices.
2. C'est une plante. Ce sont des plantes.
3. C'est un pianiste. Ce sont des pianistes.
4. C'est une musicienne. Ce sont des musiciennes.
5. Sur une branche d'arbre, voici un pigeon. Sur des branche des arbres, voici des pigeons.
6. Il y a une barque dans le port. Il y a des barques dans les ports.
7. Il y a une piscine dans l'hôtel. Il y a des piscines dans les hôtels.
8. Dans l'immeuble, il y a un ascenseur. Dans les immeubles, il y a des ascenseurs.
9. J'ai une télévision dans la chambre. Nous avons des télévisions dans les chambres.
10. À Paris, il y a un monument célèbre. À Paris, il y a des monuments célèbres.

6.

A/ Compléter la 2e phrase avec des articles indéfinis :

C'est une pièce. Elle a *(porte, fenêtres, cheminée).*
→ *C'est une pièce. Elle a* ***une*** *porte,* ***des*** *fenêtres et* ***une*** *cheminée.*

1. C'est un train. Il a (*locomotive, wagons*). un locomotive et des wagons
2. C'est une petite fille. Elle porte (*maillot de bain, sandales, lunettes de soleil*).
3. C'est un homme d'affaires. Il porte (*costume gris, parapluie noir, petite valise, journaux*).
4. C'est une étudiante. Elle porte (*collants noirs, bottes vertes, imperméable*).
5. C'est un clown. Il a (*pantalon court, veste longue, nez rouge, chapeau pointu*).

2. un maillot de bain, des sandales et des lunettes de soleil.
3. un costume gris, un parapluie noir, une petite valise, et des journaux.
4. des collants noirs, des bottes vertes, un imperméable.
5. un pantalon court, une veste longue, un nez rouge, et un chapeau pointu.

B/ Faire des phrases sur le modèle de l'exercice précédent :

1. C'est un avion ......
2. C'est un hôtel ......
3. C'est un policier ......
4. C'est un jardin ......
5. C'est une ville ......

7.

A/ Choisir les articles et les verbes qui conviennent et faire les phrases :

Lion – être – animal.
→ ***Le** lion **est un** animal.*

1. Cerise – fruit.
2. France – pays d'Europe.
3. Football – sport.
4. Peinture – art.
5. Himalaya – montagne.

B/

Maison – médecin.
→ ***C'est une** maison, **c'est la** maison **du** médecin.*

1. Chat – voisin.
2. Hôtel – gare.
3. Chaussures – enfants.
4. Usine – M. Lacoste.
5. Croissants – petit déjeuner.

C/

Éric – nez long.
→ *Éric **a le** nez long.*

1. Marie – yeux verts.
2. Raphaël – mains dans les poches.
3. Grégory – épaules larges.
4. Noémi – taille fine.
5. Léa – cheveux noirs.

D/ Compléter avec des articles définis ou indéfinis :

Voici ...... immeuble neuf. Il a ...... grande porte vitrée, ... ascenseur, ... couloirs modernes. Voilà ...... porte de ...... appartement de François. C'est ...... « trois pièces ». Il y a ...... entrée, ... salon, ... chambre, ... salle de bains et ...... cuisine. ...... appartement a ...... fenêtres très larges et ...... belle vue. Le matin, il y a ...... oiseaux dans ...... arbres. ...... nuit, ... silence total et ...... calme sont merveilleux.

8. Mettre l'article partitif qui convient : du – de la – de l' – des.

A/
1. C'est un verre de champagne. Il y a ...... champagne dans le verre.
2. C'est une bouteille d'huile. Il y a ...... huile dans la bouteille.
3. C'est un bol de lait. Il y a ...... lait dans le bol.
4. C'est un kilo d'épinards. Il y a ...... épinards dans la casserole.
5. C'est un pot de confiture. Il y a ...... confiture dans le pot.
6. C'est une carafe d'eau. Il y a ...... eau dans la carafe.
7. C'est une tasse de café. Il y a ...... café dans la tasse.
8. C'est un paquet de farine. Il y a ...... farine dans le paquet.

9. C'est une tranche de jambon. Il y a ...... jambon dans le réfrigérateur.
10. C'est un litre d'essence. Il y a ...... essence dans le réservoir.

B/ 1. J'aime le vin. Je bois ...... vin.
2. J'aime la musique. J'écoute ...... musique.
3. J'aime le tabac. Je fume ...... cigarettes.
4. J'aime le sucre. Je mets ...... sucre dans mon café.
5. J'aime la danse. Je fais ...... danse.
6. J'aime le chocolat. Je veux ...... chocolat.
7. Je n'aime pas le bruit. J'entends ...... bruit.
8. J'aime les gens patients. J'ai ...... patience.
9. J'aime les jeux. J'ai ...... chance.
10. J'aime le fromage. Je mange ...... fromage.

9.

A/ Compléter les expressions de quantité par de **ou** d' **:**

Il a beaucoup ...... vacances.
→ *Il a beaucoup **de** vacances.*

1. Nous avons beaucoup ...... amis.
2. Elle achète peu ...... livres.
3. Tu as trop ...... problèmes.
4. Ils ont assez ...... argent.
5. Il met un peu ...... sel dans le potage.
6. Il y a beaucoup ...... hôtels à Paris.
7. J'ai un peu ...... monnaie.
8. Vous avez assez ...... travail.
9. Sébastien a peu ...... idées.
10. L'enfant a trop ...... jouets.

B/ Mettre la bonne lettre dans la case de droite :

A.	Un kilo de	☐	sucre
B.	Deux litres de	☐	abricots
C.	Quatre bouteilles de	☐	allumettes
D.	Une boîte de	☐	vin
E.	Deux morceaux de	☐	lait

10.

A/ Compléter les expressions suivantes par l'article indéfini qui convient et la préposition de **:**

C'est ...... carte ...... crédit.
→ *C'est **une** carte **de** crédit.*

1. C'est ...... ticket ...... métro.
2. C'est ...... agent ...... police.
3. C'est ...... billet ...... avion.
4. C'est ...... numéro ...... téléphone.
5. C'est ...... assiette ...... crudités.
6. C'est ...... carte ...... séjour.
7. C'est ...... livre ...... science-fiction.
8. C'est ...... film ...... horreur.

9. C'est ...... pièce ...... théâtre.
10. C'est ...... homme ...... affaires.

B/ Mettre les phrases de l'exercice précédent au pluriel :

C'est une carte de crédit.
→ *Ce sont **des** cartes **de** crédit.*

C/ Mettre la bonne lettre dans la case de droite :

A.	Un garçon de	☐	chèques
B.	Une chambre de	☐	banque
C.	Un carnet de	☐	identité
D.	Une carte de	☐	café
E.	Un billet de	☐	hôtel

D/ Même exercice :

A.	Un sac à	☐	dents
B.	Une cuiller à	☐	talon
C.	Des chaussures à	☐	carreaux
D.	Une chemise à	☐	café
E.	Une brosse à	☐	dos

E/ Observer les noms soulignés : ils n'ont pas d'article.

Patrice est employé des postes à Marseille, en France. Partout, dans la ville, il y a beaucoup de panneaux : « Défense de fumer », « Sortie », « Téléphone », « Toilettes », « Entrée interdite », et dans la rue : « Stationnement interdit », « Voie sans issue ». C'est trop !

Patrice a mal à la tête et il a faim. Il a envie d'un bon déjeuner au restaurant, mais il a besoin d'argent.

Il est en voiture, il roule et, par hasard, il voit une banque. Bon appétit, Patrice !

11.

A/ Mettre l'article qui convient :

1. Nous achetons ...... pain à la boulangerie.
2. Il y a ...... neige, beaucoup de neige sur le Mont-Blanc.
3. On met ...... œufs dans l'omelette.
4. J'ai ...... travail aujourd'hui, trop de travail !
5. Il fume ...... blondes ou ...... brunes.
6. Il y a ...... légumes dans le panier.
7. Je mange ...... caviar et je bois ...... vodka ; toi, tu bois ...... eau.
8. Je fais ...... gymnastique le matin, un peu de gymnastique.
9. L'automobiliste ne voit pas bien la route : il y a ...... brouillard.
10. Le ciel est clair : il y a ...... vent et ...... soleil.

B/ Écrire les phrases en utilisant les expressions de quantité données :

Ce matin, sur Paris, il y a de la pollution *(trop)*.
→ *Ce matin, sur Paris, il y a **trop de** pollution.*

1. Ce matin, le ciel est clair : il y a du soleil *(beaucoup)* et de l'air frais *(un peu)*.
2. Cette année, il y a des orages *(trop)* ; le ciel est sombre ; il y a de la pluie *(beaucoup)*, des éclairs *(beaucoup)* et du tonnerre *(un peu)*.
3. Cette nuit, le ciel est beau : il y a des nuages *(peu)*, du vent *(un peu)*, et des étoiles *(beaucoup)*.

12.

A/ Mettre au singulier :

1. Nous avons des problèmes.
2. Ce sont des exercices difficiles.
3. Il y a des chiens dans les rues.
4. Ce sont les premiers melons.
5. Voici les derniers modèles.
6. Vous avez des amis chinois.
7. Où sont les clés des chambres ?
8. Avez-vous des bouteilles de lait ?
9. Ce sont les héros des films.
10. Les œuvres des artistes sont dans les musées.

B/ Mettre au pluriel :

1. C'est l'adjoint du directeur.
2. C'est la concierge de l'immeuble.
3. C'est une tartine de pain avec du beurre.
4. Sur l'assiette, il y a une tranche de rôti de porc.
5. C'est une photo du film.
6. Où est la sortie du grand magasin ?
7. As-tu une cigarette ? Oui, une blonde.
8. C'est la valise et le sac de Charlotte.
9. Voilà l'adresse de l'hôtel.
10. Dans la salade mixte, il y a une tomate, un œuf dur et un avocat.

13. Mettre l'article défini, défini contracté, indéfini ou partitif qui convient :

A/ Béatrice entre dans ..... aéroport d'Orly. Où est ..... sortie de ..... voyageurs ? Ah, c'est là. Elle regarde ..... heure, ... foule, ... affiches publicitaires. À droite, il y a ..... grand comptoir avec ..... plantes vertes et ..... hôtesses. À gauche, ce sont ..... guichets d'Air France, et ..... douane.

..... gens sont calmes mais, dehors, il y a ..... bruit. Sur ..... pistes d'atterrissage, Béatrice voit ..... avions et ..... camions.

Enfin, Marc arrive. C'est ..... petit ami de Béatrice. Il porte ..... valise et ..... bouquet de fleurs. « Merci pour ..... fleurs. Bienvenue à Paris ».

B/ Aujourd'hui, j'ai beaucoup de courses à faire. Je dois aller d'abord à ..... boucherie pour acheter ..... viande, puis à ..... charcuterie pour acheter ..... jambon, ensuite à ..... boulangerie pour acheter ..... pain. Je dois aussi aller à ..... banque pour retirer ..... argent.

Mais il fait ..... temps horrible. Il y a ..... pluie et ..... vent. Je prends ..... parapluie et je descends dans ..... rue.

Alors, ... fille de ..... voisine m'appelle : elle ne peut pas ouvrir ..... porte de ..... garage. Elle porte ..... manteau élégant, ... chaussures vernies et ..... grand chapeau blanc. Elle a peur de se salir. Moi aussi. Ensemble, nous poussons et enfin, ... porte s'ouvre ! Il pleut toujours et ..... chapeau de ..... jeune femme tombe dans ..... flaque d'eau. Nous rions, mais nous avons ..... mains toutes sales et ..... pieds mouillés. Pas de chance !

C/ Inventer une histoire avec les mots suivants et trouver les articles qui conviennent :

Sophie – avoir ...... amis à dîner.
Elle – avoir ...... courses à faire,
elle – avoir ...... légumes, ... fruits, ... fromage et ...... vin à acheter.
Elle – avoir ...... appartement à ranger,
elle – avoir ...... table à mettre,
elle – avoir ...... repas à préparer.
À neuf heures, elle – être dans ...... salon.
Il y – avoir ...... musique et ...... fleurs.
Sur la table, il y – avoir ...... apéritifs,
mais ...... amis de Sophie ne sont pas là !

N.B. Voir aussi le chapitre 11 sur la négation.

3

Les noms

1.2 3.	Masculin et féminin
4.5.6.	Singulier et pluriel

1. Mettre le nom au féminin :

A/ Un cousin → *une cousine.*

1. Un ami
2. Un étudiant
3. Un avocat
4. Un marchand
5. Un employé
6. Un Français
7. Un Anglais
8. Un Américain
9. Un Espagnol
10. Un Chinois

B/ Un boulanger → *une boulangère.*

1. Un cuisinier
2. Un couturier
3. Un écolier
4. Un romancier
5. Un étranger

C/

Un chien → *une chien<u>ne</u>*.

1. Un musicien
2. Un Coréen
3. Un Parisien
4. Un champion
5. Un chat

D/

Un hôte → *une hôte<u>sse</u>*.

1. Un prince
2. Un tigre
3. Un âne
4. Un traître
5. Un maître

E/

Un vendeur → *une vend<u>euse</u>*.

1. Un coiffeur
2. Un danseur
3. Un chanteur
4. Un acheteur
5. Un voleur
6. Un nageur
7. Un plongeur
8. Un voyageur
9. Un dormeur
10. Un menteur

F/

Un lecteur → *une lect<u>rice</u>*.

1. Un acteur
2. Un spectateur
3. Un auditeur
4. Un instituteur
5. Un électeur
6. Un directeur
7. Un présentateur
8. Un conducteur
9. Un collaborateur
10. Un traducteur

G/

Un élève → *une élève*.

1. Un artiste
2. Un journaliste
3. Un locataire
4. Un concierge
5. Un malade

2. Mettre le nom au féminin (attention, le nom féminin est différent du nom masculin) :

1. Un homme
2. Un garçon
3. Un fils
4. Un frère
5. Un père
6. Un oncle
7. Un mari
8. Un neveu
9. Un roi
10. Un héros

3. Mettre l'article indéfini qui convient, puis trouver le masculin ou le féminin :

...... monsieur → ***Un monsieur. Une dame***

1. ...... tante
2. ...... actrice
3. ...... coiffeur
4. ...... femme
5. ...... boulanger
6. ...... Chinoise
7. ...... poète
8. ...... hôtesse
9. ...... menteur
10. ...... écolière
11. ...... comédien
12. ...... vendeuse
13. ...... malade
14. ...... reine
15. ...... mari
16. ...... fille
17. ...... couturier
18. ...... chatte
19. ...... journaliste
20. ...... spectatrice

4. Mettre le nom au pluriel :

A/

Une fleur → *des fleurs.*

1. Un homme
2. Une femme
3. Un lit
4. Un coussin
5. Un fauteuil
6. Un détail
7. Un chandail
8. Un fou
9. Un pneu
10. Un festival

B/

Un vœu → *des vœux.*
Un caillou → *des cailloux.*
Un tableau → *des tableaux.*

1. Un cheveu
2. Un jeu
3. Un neveu
4. Un feu
5. Un adieu
6. Un bijou
7. Un chou
8. Un genou
9. Un chapeau
10. Un bureau
11. Un morceau
12. Un gâteau
13. Un drapeau
14. Un couteau
15. Un plateau
16. Un manteau
17. Un oiseau
18. Un château
19. Un carreau
20. Une peau

C/

Un animal → *des animaux.*
Un travail → *des travaux.*

1. Un cheval
2. Un hôpital
3. Un journal
4. Un mal (de tête)
5. Un vitrail

D/

Un bois → *des bois.*
Un choix → *des choix.*

1. Un poids
2. Un tapis
3. Un dos
4. Un bras
5. Un mois
6. Un pays
7. Un cours
8. Un héros
9. Un fils
10. Un Polonais
11. Une toux
12. Une voix
13. Une noix
14. Une croix
15. Un prix

E/ Attention, le nom pluriel est différent du nom singulier.

1. Un œil
2. Un jeune homme
3. Monsieur
4. Madame
5. Mademoiselle

5. Mettre tous les éléments des phrases au pluriel :

A/

1. Tu as un chapeau.
2. J'ai une écharpe.
3. C'est un pianiste.

4. C'est une bouteille.
5. Il a une moustache.

B/ 1. C'est la nièce de Mme Rivolta.
2. C"est le neveu de Mme Rolvita.
3. L'oiseau n'est pas dans la cage.
4. C'est le fils de Mme Trivola.
5. C'est la fille de Mme Travoli.

C/ 1. Elle a un chemisier.
2. J'ai un frère et une sœur.
3. L'acteur a un rôle.
4. C'est un bijou.
5. C'est un vêtement.
6. L'écureuil est dans le bois.
7. La chatte n'est pas sur le lit.
8. Le chien est sous le canapé.
9. La concierge est dans l'immeuble.
10. Le pharmacien est dans la pharmacie.

D/ 1. Il y a un téléphone sur le bureau.
2. Le sac n'est pas à la jeune fille.
3. Il y a une cliente dans le magasin.
4. La caissière est à la caisse.
5. Dans la gare, il y a un quai, un train, une horloge.
6. Le malade est dans l'hôpital.
7. L'orange est un fruit.
8. C'est le cheval du cavalier.
9. Il y a une boutique sur le boulevard.
10. Le poireau est un légume.

6. Mettre tous les éléments des phrases au singulier :

A/ 1. Ce sont des vendeurs et des vendeuses.
2. Ce sont les clefs des voitures.
3. Ce ne sont pas des étrangères.
4. Voici des fruits et des fleurs.
5. Voici les traducteurs des livres.
6. Ce sont des musiciens. Ils sont dans des orchestres.
7. Nous avons des amis. Ils ont des problèmes.
8. Vous avez des bijoux. Nous avons des tableaux.
9. Les oiseaux sont sur les branches des arbres.
10. Ce sont les héros des romans.

B/ 1. Ce sont les élèves des écoles.
2. Les éléphants sont des animaux.
3. Ce ne sont pas des livres d'histoire.
4. Voici les locataires des appartements.
5. Les jouets sont aux enfants.
6. Ce sont des clientes des magasins.
7. Il y a des oiseaux dans les cages.
8. Ce sont les directeurs des entreprises.
9. Les acteurs ont des rôles dans les films.
10. Aux fenêtres des églises, il y a des vitraux.

Les adjectifs qualificatifs

4

1 à 13	**Adjectifs qui changent au féminin et terminés**
1.	par une voyelle : **–e** au féminin
2.	par **-n** : **-ne** ou **-nne** au féminin
3.	par **-r** : **-re** ou par **-l** : **-le** au féminin
4.	par **-s** : **-se** ou **-sse** au féminin
5.6.	par **-d** : **-de** ou par **-t** : **-te** au féminin
7.8.	par **-al** : **-ale** ou par **-el** : **-elle** au féminin
9.10.	par **-er** : **-ère** ou par **-et** : **-ète** au féminin
11.	par **-eux** : **-euse** au féminin
12.	par **-x** : **-sse** ou par **-c** (ou **-s**) : **-che** au féminin
13.	par **-f** : **-ve** au féminin
14.	**Adjectifs qui ne changent pas au féminin**
15.	**Adjectifs aux formes diverses**
16.	L'article indéfini devant l'adjectif pluriel
17.18.19.	L'adjectif contraire, la description, la comparaison

1.

A/ Mettre au féminin singulier :

Il est pol<u>i</u> → *Elle est pol<u>ie</u>.*

1. Il est joli. Elle est ......
2. Il est vrai.
3. Il est gai.
4. Il est connu.
5. Il est déçu.
6. Il n'est pas marié.
7. Il est divorcé.
8. Il est enrhumé et fatigué.
9. Il est grippé et couché.
10. Il est passionné et révolté.

B/ Mettre les phrases précédentes au masculin pluriel et au féminin pluriel :

Ils sont pol<u>is</u>. Elles sont pol<u>ies</u>.

2.

A/ Compléter les phrases :

1. *(brun)* C'est un garçon ...... C'est une fille ......
2. *(voisin)* C'est l'appartement ...... C'est la famille ......
3. *(lointain)* C'est un pays ...... C'est une ville ......
4. *(prochain)* C'est le mois ...... C'est l'année ......
5. *(plein)* C'est un verre ...... C'est une bouteille ......

B/ Mettre les phrases précédentes au pluriel :

*Ce sont des garçons brun**s**. Ce sont des filles brun**es**.*

C/ Compléter les phrases :

(Parisien) Il est ...... Elle est ......
→ *Il est parisi**en**. Elle est parisi**enne**.*

1. *(bon)* Le champion est ...... La championne est ......
2. *(mignon)* Le bébé est ...... La petite fille est ......
3. *(ancien)* Le tableau est ...... L'horloge est ......
4. *(moyen)* Le résultat est ...... La note est ......
5. *(italien)* C'est un comédien ...... C'est une comédienne ......

D/ Mettre les phrases précédentes au pluriel.

3.

A/ Compléter les phrases :

1. *(dur)* Le métal est ...... La pierre est ......
2. *(clair)* L'appartement est ...... La pièce est ......
3. *(noir)* Le chapeau est ...... L'écharpe est ......
4. *(meilleur)* C'est le ...... présentateur. C'est la ....
5. *(seul)* Le jeune homme est ...... à Paris. La jeune fille est ...... aussi.

B/ Mettre les phrases précédentes au pluriel.

4.

A/ Compléter les phrases :

1. *(mauvais)* Le gâteau est ...... La tarte est ......
2. *(français)* Le croissant est ...... La baguette est ......
3. *(gris)* Le camion est ...... La voiture est ......
4. *(suédois)* Il est ...... Elle est ......
5. *(assis)* L'homme est ...... sur le canapé, la femme est ...... aussi.

B/ Mettre les phrases précédentes au pluriel.

C/ Compléter les phrases :

(gras) Le saucisson est ...... La saucisse est ......
→ *Le saucisson est gra**s**. La saucisse est gra**sse**.*

1. *(bas)* Le plafond est ...... La maison est ......
2. *(gros)* Le bœuf est ...... La vache est ......
3. *(épais)* Le mur est ...... La vitre est ......

D/ Mettre les phrases précédentes au pluriel.

5.

A/ Compléter les phrases :

1. Le marchand est grand et blond. La ...... est ...... et ......
2. Le vent est chaud ou froid. La saison est ...... ou ......
3. Le coiffeur est bavard et laid. La ...... est ...... et ......
4. Le second placard est profond. La ......penderie est ......
5. Le pneu est rond et lourd. La roue du camion est ...... et ......

B/ Mettre les phrases précédentes au pluriel.

6.

A/ Compléter les phrases :

1. L'étudiant est petit et fort. L'étudiante est ...... et ......
2. Il est vert et plat. Elle est ...... et ......
3. Le mur est haut et étroit. La porte est ...... et ......
4. Le jeune homme est amusant et séduisant. La ...... est ...... et ......
5. L'homme est prudent ou imprudent. La ...... est ...... ou ......
6. L'adolescent est adroit ou maladroit. L'...... est ...... ou ......
7. Le chien est méchant et violent. La ...... est ...... et ......
8. L'acteur est intéressant et élégant. L'...... est ...... et ......
9. Le voyageur est content et souriant. La ...... est ...... et ......
10. Le résultat est parfait, excellent. La solution du problème est ......, ...

B/ Mettre les phrases précédentes au pluriel.

7.

A/ Compléter les phrases :

1. C'est le verbe principal. C'est la phrase ......
2. C'est un homme original. C'est une femme ......
3. C'est un mot spécial. C'est une prononciation ......
4. C'est un garçon amical et sentimental. C'est une fille ...... et ......
5. C'est un événement national. C'est une élection ......

B/ Mettre les phrases précédentes au pluriel (attention au masculin) :

*Ce sont les verbes princip**aux**. Ce sont les phrases princip**ales**.*

8.

A/ Faire une phrase avec le nom féminin et l'adjectif :

C'est un homme cruel. *(une femme)*
→ *C'est un homme cru**el**. C'est une femme cru**elle**.*

1. C'est un journal mensuel. *(une revue)*
2. C'est un congrès annuel. *(une réunion)*
3. C'est un produit naturel. *(une catastrophe)*
4. C'est un fait habituel. *(une solution)*
5. C'est un problème réel. *(une difficulté)*

B/ Mettre les phrases précédentes au pluriel.

9.

A/ Compléter les phrases :

C'est un sac léger. C'est une valise ......
→ *C'est un sac lég**er**. C'est une valise lég**ère**.*

1. C'est un pain entier. C'est une baguette ......
2. C'est le premier écolier. C'est la ....
3. C'est le dernier métro. C'est la ...... possibilité.
4. C'est un rythme régulier. C'est une vie ......
5. C'est un couturier trop cher. C'est une ...... trop ......

B/ Mettre les phrases précédentes au pluriel.

10.

A/ Compléter les phrases :

(discret) L'espion est ...... L'espionne est ......
→ *L'espion est discr<u>et</u>. L'espionne est discr<u>ète</u>.*

1. *(complet)* C'est un album ...... C'est une collection ......
2. *(secret)* C'est un dossier ...... C'est une mission......
3. *(indiscret)* C'est un voisin ...... C'est une voisine ......
4. *(inquiet)* Le père est ...... La mère est ......
5. *(incomplet)* L'article du journal est ...... L'information est ......

B/ Mettre les phrases précédentes au pluriel.

11.

A/ Compléter les phrases :

Il est curieux. Elle est ......
→ *Il est curi<u>eux</u>. Elle est curie<u>use</u>.*

1. Voici un homme amoureux et heureux. Voici une femme ...... et ......
2. Le matin est pluvieux et affreux. La journée est ...... et ......
3. Quand il est furieux, il est dangereux. Quand elle est ......, elle est ......
4. Est-il courageux ou peureux ? Est-elle ...... ou ...... ?
5. C'est un film sérieux, très ennuyeux. C'est une histoire ......, très ......
6. C'est un sujet mystérieux. C'est une personne ......
7. L'acteur du film est merveilleux. L'actrice du film est ......
8. C'est un dessert délicieux. C'est une salade ......
9. C'est un bébé joyeux. C'est une enfant ......
10. C'est un mari jaloux. C'est une femme ......

B/ Mettre les phrases précédentes au pluriel :

Ils sont curi<u>eux</u>. Elles sont curi<u>euses</u>.

12.

A/ Compléter les phrases :

Le climat est sec. La saison est ......
→ *Le climat est se<u>c</u>. La saison est s<u>èche</u>.*

1. Le drap est blanc. La serviette est ......
2. Le matin est frais. La soirée est ......
3. Le garçon est franc. La fille est ......

B/ Mettre les phrases précédentes au pluriel.

13.

A/ Compléter les phrases :

C'est un commerçant actif et une ......
→ *C'est un commerçant actif et une commerçante active.*

1. Voilà un jeune homme sportif et une ....
2. Voilà un résultat positif et une réaction ......
3. C'est un adolescent vif, parfois agressif ; c'est une ...., parfois ......
4. Il a un manteau neuf et une ....
5. C'est un texte bref et une phrase ......

B/ Mettre les phrases précédentes au pluriel.

14. Compléter les phrases en utilisant les adjectifs proposés :

1. Le bateau est solide et rapide. Les voitures ......
2. La fleur est rose et jaune. Les drapeaux ......
3. Le violoniste est jeune, mince et timide. La pianiste et la flûtiste ......
4. Le gardien est célibataire et libre. La ......
5. Le canapé est large et confortable. Les lits ......
6. L'appartement est vide et triste. Les chambres ......
7. Le linge est sale ou propre. Les chaussettes de Marc ......
8. C'est un livre simple, pratique et utile. Ce sont des renseignements ......
9. Le chanteur est drôle, superbe et célèbre. La ......
10. C'est un objet fragile. Ce sont des choses ......

15.

A/ Compléter les phrases (faire attention aux adjectifs féminins) :

1. *(doux)* Il a un regard ...... Elle a une voix ......
2. *(roux)* Le jeune homme est ...... La jeune fille est ......
3. *(faux)* Le billet est ...... La pièce de monnaie est ......
4. *(muet)* C'est un film ...... C'est une enfant ......
5. *(gentil)* C'est un ami très ...... C'est une amie très ......
6. *(menteur)* C'est un garçon ...... C'est une fille ......
7. *(public)* C'est un jardin ...... C'est une place ......
8. *(turc)* C'est un mot ...... C'est une expression ......
9. *(grec)* C'est un port ...... C'est une île ......
10. *(favori)* C'est le plat ...... de Jules et la recette ...... de Julie.
11. *(fou)* Il est ...... Elle est ......
12. *(long)* Le film est ...... L'émission est ......

B/ Mettre les phrases précédentes au pluriel.

C/ Compléter les phrases :

(beau) Ce sont un ...... château, une ...... tour,
un ...... arbre, de ...... jardins, de ...... fontaines.
→ *Ce sont un **beau** château, une **belle** tour, un **bel** arbre,
de **beaux** jardins, de **belles** fontaines.*

1. *(nouveau)* c'est un ...... film,
   c'est un ...... acteur,
   c'est une ...... actrice,
   les décors sont ......,
   les affiches sont ......

2. *(vieux)* c'est un ...... quartier,
c'est un ...... immeuble,
la ville est ......,
les habitants sont ......,
les maisons sont ......

16. Mettre les phrases au pluriel. Faire attention à la place de l'adjectif :

A/

C'est une grosse valise.
→ *Ce sont* ***de grosses*** *valises.*

1. C'est un grand jardin.
2. C'est un beau bébé.
3. C'est une petite maison.
4. Ce n'est pas un très bon film.
5. C'est un nouveau voisin.
6. C'est une jolie fille.
7. C'est une longue histoire.
8. C'est une vieille habitude.
9. C'est un autre problème.
10. C'est une autre solution.

B/

C'est un immeuble ancien.
→ *Ce sont* ***des*** *immeubles* ***anciens.***

1. Ce n'est pas une pièce confortable.
2. C'est une femme extraordinaire.
3. C'est une plante verte.
4. C'est une amie très fidèle.
5. C'est une fleur rouge magnifique.

***17. Trouver le contraire de l'adjectif :**

1. C'est un homme politique *honnête.*
2. C'est un garçon *sympathique.*
3. C'est un camarade *agréable.*
4. C'est un exercice *facile.*
5. Tu es *content.*
6. C'est une qualité *supérieure.*
7. La situation semble *normale.*
8. Le partage est *égal.*
9. C'est un adolescent *prudent.*
10. C'est une réponse *directe.*
11. C'est une famille *riche.*
12. Vous êtes *optimiste.*
13. L'histoire est *vraie.*
14. C'est un *méchant* garçon.
15. C'est *possible.*

18.

A/ Faire une petite description avec les adjectifs proposés :

1. Comment est la femme de Jean ? (*grand, gourmand, discret, intelligent, rêveur, etc.*)

2. Comment est l'ami de Juliette ? (*franc, comique, cruel, coléreux, brutal, etc.*)
3. Comment est le repas ? (*copieux, gratuit, cher, délicieux, etc.*)
4. Comment sont vos cheveux ? (*raide, frisé, long, court, brun, blond, bouclé, etc.*)
5. Comment sont vos yeux ? (*petit, grand, bleu, vert, brun, noir, etc.*)

B/ Trouver des adjectifs pour faire une petite description :

1. Comment est votre silhouette ?
2. Comment est votre caractère ?
3. Comment est votre meilleur(e) ami(e) ?
4. Comment est la vie en France ?
5. Comment est la vie dans votre pays ?

19. Associer l'adjectif à l'expression de comparaison qui convient et mettre la bonne lettre dans la case de droite :

A.	blond	☐	comme du verre
B.	belle	☐	comme une plume
C.	rouge	☐	comme un pinson
D.	laid	☐	comme une tomate
E.	simple	☐	comme une porte de prison
F.	gai	☐	comme un jour sans pain
G.	triste	☐	comme un chien
H.	ennuyeux	☐	comme les blés
I.	fraîche	☐	comme bonjour
J.	léger	☐	comme le monde
K.	doux	☐	comme un pou
L.	fragile	☐	comme la pluie
M.	long	☐	comme un agneau
N.	vieux	☐	comme une fleur
O.	malade	☐	comme le jour

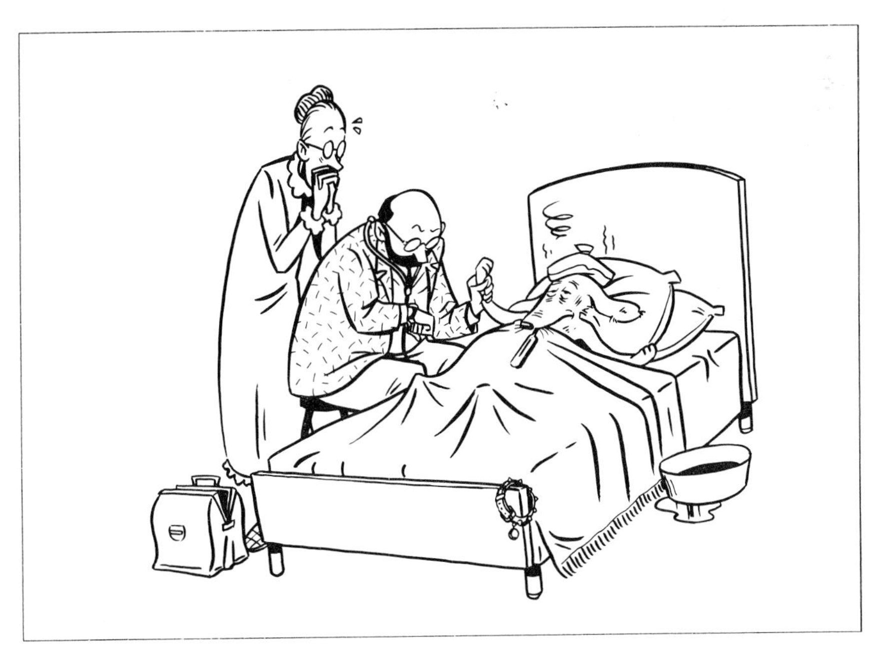

5

Le présent de l'indicatif

1.

A/ Écrire la bonne terminaison :

Je parl...
Tu chant...
Elle dans...
Nous étudi...
Vous jou...
Ils écout...

B/ Écrire au présent :

1. Pierre et Catherine *(parler)* et *(regarder)* des photos.
2. Tu *(chanter)* une jolie chanson et je *(danser)*.
3. Nicolas *(aimer)* le chocolat et *(détester)* les carottes.

4. Nous *(étudier)* le français : nous *(travailler)* beaucoup.
5. La petite fille *(jouer)* dans le jardin.
6. Vous *(écouter)* un disque et elles *(discuter)*.

2.

A/ Ajouter un accent si c'est nécessaire :

Posséder :	Je possede	*Peser* :	Je pese
	Tu possedes		Tu peses
	Il possede		Il pese
	Nous possedons		Nous pesons
	Vous possedez		Vous pesez
	Ils possedent		Ils pesent

B/ Écrire au présent :

1. Ils *(posséder)* une grande maison et nous *(posséder)* un petit appartement.
2. Tu ne *(peser)* pas cent kilos !
3. Vous *(espérer)* avoir une lettre, j'*(espérer)* aussi.
4. La pluie ne *(pénétrer)* pas dans la chambre.
5. Nous *(pénétrer)* dans la maison.
6. Le policier *(lever)* le bras : les voitures s'arrêtent.
7. Je *(promener)* les enfants, vous *(promener)* le chien.

3.

A/ Compléter avec l **ou** ll, t **ou** tt **et les bonnes terminaisons :**

Appeler :	J'appe...	*Jeter* :	Je je...
	Tu appe...		Tu je...
	Il appe...		Il je...
	Nous appe...		Nous je...
	Vous appe...		Vous je...
	Ils appe...		Ils je...

B/ Ajouter un accent si c'est nécessaire :

Geler :	Je gele	*Acheter* :	J'achete
	Tu geles		Tu achetes
	Il gele		Il achete
	Nous gelons		Nous achetons
	Vous gelez		Vous achetez
	Ils gelent		Ils achetent

C/ Écrire au présent :

1. Vous *(appeler)* le chien, je *(appeler)* les enfants.
2. Elle *(jeter)* des papiers, vous *(jeter)* un vieux sac.
3. Il neige : je *(geler)*, vous *(geler)* aussi.
4. Ils *(acheter)* des disques, nous *(acheter)* des livres.
5. Tu *(peler)* une poire, nous *(peler)* des pommes.

4.

A/ Compléter avec c **ou** ç, g **ou** ge **et les bonnes terminaisons :**

Commencer :	Je commen...	*Manger* :	Je man...
	Tu commen...		Tu man...
	Il commen...		Il man...

Nous commen...	Nous man...
Vous commen...	Vous man...
Ils commen...	Ils man...

B/ Écrire au présent :

1. Il *(annoncer)* l'arrivée du train.
2. Nous *(annoncer)* les résultats de l'examen.
3. Nous *(placer)* les invités.
4. Les enfants *(lancer)* le ballon.
5. Nous *(lancer)* la balle.
6. Je *(commencer)* la vaisselle.
7. Nous ne *(recommencer)* pas l'exercice.
8. Vous *(prononcer)* bien le français.
9. La voiture ne *(avancer)* pas vite.
10. Nous *(avancer)* lentement.

C/ Même exercice :

1. Nous *(plonger)* dans la piscine et nous *(nager)*.
2. Vous *(manger)* des gâteaux, nous *(manger)* du chocolat.
3. Les enfants ne *(ranger)* pas la chambre.
4. Nous *(changer)* de l'argent.
5. Vous *(déménager)* bientôt.
6. Le douanier *(interroger)* les voyageurs.
7. La musique *(déranger)* les voisins.
8. Je *(exiger)* une réponse.
9. Nous *(voyager)* ensemble.
10. Nous *(partager)* les frais du voyage.

5.

A/ Compléter avec i ou y et les bonnes terminaisons :

Payer :	*Employer* :	*Essuyer* :
Je pa...	J'emplo...	J'essu...
Tu pa...	Tu emplo...	Tu essu...
Il pa...	Il emplo...	Il essu...
Nous pa...	Nous emplo...	Nous essu...
Vous pa...	Vous emplo...	Vous essu...
Ils pa...	Ils emplo...	Ils essu...

B/ Écrire au présent :

1. Je *(essuyer)* les verres.
2. Vous *(nettoyer)* la voiture.
3. Le chien *(aboyer)* souvent.
4. Je *(essayer)* une nouvelle chemise.
5. Vous *(essayer)* un nouveau manteau.
6. Tu *(envoyer)* une lettre.
7. La société *(employer)* cent personnes.
8. Tu *(balayer)* la cuisine.
9. Nous *(payer)* très cher le studio.
10. Le film ne *(ennuyer)* pas les spectateurs.

6.

A/ Trouver le sujet :

1. ...... mangeons au restaurant.
2. ...... n'essuient pas la vaisselle.
3. ...... parlez deux langues.
4. ...... aimes la tarte aux pommes.
5. ...... préfère la tarte aux fraises.
6. ...... pénètrent dans la maison.
7. ...... rangeons les affaires.
8. ...... ne voyages pas beaucoup.
9. ...... lançons le ballon.
10. ...... essayez des chaussures.
11. ...... appelle un taxi.
12. ...... jetez des papiers dans la corbeille.
13. ...... pèse la viande.
14. ...... commençons les exercices.
15. ...... jouent avec le chien.
16. ...... promène le bébé.
17. ...... pleures.
18. ...... étudiez beaucoup.
19. ...... aboie.
20. ...... envoient des lettres.

B/ Raconter une histoire en utilisant les expressions :

- pénétrer dans un restaurant.
- avancer vers une table.
- interroger la serveuse.
- écouter les conseils du maître d'hôtel.
- commander le menu.
- essayer les spécialités.
- apporter les plats.
- commencer le repas.
- manger de bon appétit.
- payer l'addition.

7.

A/ Écrire la terminaison :

Finir : Je fin...
Tu fin...
Il fin...
Nous fin...
Vous fin...
Ils fin...

B/ Écrire au présent :

1. Je *(grossir)* un peu.
2. Tu ne *(grandir)* pas beaucoup.
3. Elle *(maigrir)* lentement.
4. Nous *(vieillir)* vite.
5. Vous *(rougir)* souvent.

6. Les couleurs *(pâlir)* au soleil.
7. Les cheveux *(blanchir)*.
8. Le fruit *(mûrir)*.
9. On *(salir)* la nappe.
10. Les feuilles *(jaunir)*.

C/ Écrire au présent :

1. L'architecte *(démolir)* une vieille maison et *(bâtir)* un immeuble.
2. Je *(nourrir)* le chat et je *(remplir)* le bol.
3. Les enfants *(obéir)* quelquefois et *(désobéir)* souvent.
4. Vous *(réunir)* des amis.
5. L'avion *(atterrir)* à l'aéroport.
6. Nous *(réfléchir)* beaucoup et nous *(choisir)* un cadeau.

8.

A/ Mettre le sujet et le verbe au pluriel :

1. Je choisis un film comique.
2. L'étudiant réfléchit.
3. Tu remplis la bouteille.
4. La petite fille réussit l'exercice.
5. Je finis le livre.
6. L'autobus ralentit.
7. Le médecin guérit le malade.
8. Le spectateur applaudit le clown.
9. L'arbre fleurit au printemps.
10. Tu ne punis pas l'enfant.

B/ Mettre les verbes de l'histoire au présent :

Les cheveux de Mireille *(blanchir)*, elle *(grossir)*, elle *(vieillir)* ! Alors, elle *(réfléchir)* et elle *(agir)* : elle *(réussir)* à manger moins, elle *(choisir)* des plats légers et elle *(mincir)*.

Finalement, elle *(maigrir)* de dix kilos et elle *(rajeunir)* de vingt ans.

9.

A/ Écrire la fin du verbe :

Sortir : Je sor...
Tu sor...
Il sor...
Nous sor...
Vous sor...
Ils sor...

Ouvrir : J'ouvr...
Tu ouvr...
Il ouvr...
Nous ouvr...
Vous ouvr...
Ils ouvr...

B/ Écrire au présent :

1. Vous *(sortir)* souvent le soir.
2. Tu *(servir)* le café.
3. Ils *(partir)* en vacances.
4. Je ne *(dormir)* pas bien.
5. Il *(courir)* vite.

C/ Même exercice :

1. Tu *(ouvrir)* la porte.
2. Je *(souffrir)* des dents.

3. Nous *(offrir)* de belles roses.
4. Il *(cueillir)* des cerises.
5. Elles *(découvrir)* un nouveau pays.

10.

A/ Écrire la fin du verbe :

Lire :	Je li...	*Conduire* :	Je condui...	*Vivre* :	Je vi...
	Tu li...		Tu condui...		Tu vi...
	Il li...		Il condui...		Il vi...
	Nous li...		Nous condui...		Nous vi...
	Vous li...		Vous condui...		Vous vi...
	Ils li...		Ils condui...		Ils vi...

B/ Écrire au présent :

1. Vous ne *(lire)* pas beaucoup.
2. Ils *(élire)* le président.
3. Tu *(prédire)* l'avenir.
4. On *(interdire)* les cigarettes à l'hôpital.
5. Il *(contredire)* l'avocat.

C/ Même exercice :

1. Je *(traduire)* un roman espagnol.
2. Ils *(construire)* un pont sur la rivière.
3. Nous *(détruire)* une vieille maison.
4. Tu *(séduire)* une jeune fille.
5. Il *(conduire)* une voiture étrangère.

D/ Même exercice :

1. Nous *(vivre)* dans un pays étranger.
2. Je *(suivre)* un cours de français.
3. Tu *(poursuivre)* un voleur.
4. Ils *(survivre)* au tremblement de terre.
5. Elle ne *(vivre)* pas à Paris.

11.

A/ Écrire la fin du verbe :

Répondre :	Je répon...	*Perdre* :	Je per...
	Tu répon...		Tu per...
	Il répon...		Il per...
	Nous répon...		Nous per...
	Vous répon...		Vous per...
	Ils répon...		Ils per...

B/ Écrire au présent :

1. Je *(confondre)* les deux mots : mère et mer.
2. Nous *(défendre)* la liberté.
3. Le chien *(mordre)* l'enfant à la jambe.
4. Nous *(perdre)* du temps.
5. Vous *(rendre)* des livres à la bibliothèque.
6. Ils *(vendre)* des meubles.

7. Je *(descendre)* l'escalier.
8. Tu *(attendre)* des invités.
9. Il *(entendre)* du bruit.
10. Tu *(dépendre)* de la famille Bardin.

12.

A/ Écrire la fin du verbe :

Craindre : Je crai...
Tu crai...
Il crai...
Nous crai...
Vous crai...
Ils crai...

Peindre : Je pei...
Tu pei...
Il pei...
Nous pei...
Vous pei...
Ils pei...

B/ Écrire au présent :

1. Je ne *(craindre)* pas le froid.
2. Tu *(peindre)* le mur.
3. Il *(rejoindre)* une amie.
4. Nous *(plaindre)* les malades.
5. Vous *(éteindre)* la lumière.
6. Ils *(atteindre)* le sommet de la montagne.
7. Nous *(rejoindre)* les étudiants de la classe.
8. Je *(teindre)* les cheveux de Catherine.
9. Il *(éteindre)* la lampe.
10. Vous *(craindre)* un accident.

13.

A/ Écrire la fin du verbe :

Mettre : Je me...
Tu me...
Il me...
Nous me...
Vous me...
Ils me...

Connaître : Je conn...
Tu conn...
Il conn...
Nous conn...
Vous conn...
Ils conn...

B/ Écrire au présent :

1. Je *(mettre)* des gants.
2. Ils *(permettre)* la visite du château.
3. Le cœur *(battre)*.
4. Elle *(combattre)* l'injustice.
5. Nous *(promettre)* un voyage aux enfants.
6. Vous *(transmettre)* des informations.
7. Les bébés *(naître)* à l'hôpital.
8. Tu *(paraître)* fatigué.
9. Il *(disparaître)* dans la nuit.
10. Tu ne *(connaître)* pas bien le quartier.

14. Écrire au présent les verbes indiqués :

1. Je *(éteindre, répondre, ouvrir, suivre)*
2. Tu *(vendre, dormir, craindre, interdire)*

3. Il *(peindre, dépendre, poursuivre, mordre)*
4. Nous *(servir, rendre, souffrir, conduire)*
5. Vous *(perdre, attendre, courir, mettre)*
6. Ils *(atteindre, découvrir, sortir, apparaître)*
7. Tu *(offrir, partir, confondre, battre)*
8. Elle *(descendre, vivre, reconnaître, sentir)*
9. Nous *(lire, peindre, entendre, connaître)*
10. Elles *(défendre, détruire, mettre, survivre).*

15. Écrire au présent :

1. Il *(craindre)* la guerre.
2. Ils *(peindre)* la chambre.
3. Tu *(rejoindre)* des amis au cinéma.
4. Vous *(confondre)* deux personnes.
5. Tu *(sentir)* le parfum des arbres en fleurs.
6. L'équipe *(perdre)* le match.
7. J'*(attendre)* l'arrivée du train.
8. La caissière *(rendre)* la monnaie.
9. Il *(ouvrir)* la fenêtre de l'autobus.
10. Vous *(découvrir)* la ville.
11. L'interprète *(traduire)* le discours du président.
12. Le feu *(détruire)* la maison.
13. La police *(poursuivre)* le voleur.
14. Tu *(mettre)* des lunettes noires.
15. Je ne *(connaître)* pas bien l'adresse de l'hôtel.
16. Tu *(lire)* un bon roman.
17. Je *(répondre)* à une question difficile.
18. Tu *(offrir)* un cadeau à un ami.
19. Le chat *(disparaître)* dans le jardin.
20. L'alpiniste *(vivre)* à la montagne.

16.

A/ Écrire au présent aux personnes indiquées :

1. *(Je, il, nous, ils)* Aller au cinéma.
2. *(Tu, nous, vous, ils)* Faire des exercices.
3. *(Vous, il, nous, elles)* Dire la vérité.
4. *(Je, vous, il, ils)* Venir à la maison.
5. *(Je, nous, ils, il)* Prendre le train.
6. *(Tu, nous, ils, elle)* Tenir la raquette à la main.
7. *(Tu, nous, elles, je)* Revenir à la maison.
8. *(Je, vous, ils, elle)* Écrire une lettre.
9. *(Tu, elles, il, nous)* Rire beaucoup.
10. *(Je, vous, il, ils)* Appartenir à un club de sport.

B/ Même exercice :

1. Vouloir *(Je, nous, ils, elle).*
2. Savoir *(Tu, vous, elles, il).*
3. Pouvoir *(Je, ils, nous, elle).*
4. Devoir *(Tu, ils, vous, il).*
5. Voir *(Il, nous, ils, je).*

6. Recevoir *(Je, elle, ils, nous).*
7. Croire *(Tu, nous, je, ils).*
8. Falloir, pleuvoir *(Il).*
9. Plaire *(Tu, il, ils, vous).*
10. Boire *(Je, il, nous, elles).*

C/ Mettre la phrase au pluriel :

1. Il veut partir, je veux rester.
2. Elle sait cela, je ne sais pas cela.
3. Tu peux répondre, elle ne peut pas.
4. Je dois rentrer, tu dois sortir.
5. Elle reçoit un paquet, tu reçois une lettre.
6. Est-ce que tu crois cette histoire ?
7. Elle plaît beaucoup à Didier.
8. Je bois du vin, elle boit de l'eau.
9. Tu dis oui, il dit non.
10. Elle prend l'autobus, tu prends le métro.
11. Il revient à sept heures ; est-ce que tu reviens aussi ?
12. Je fais du yoga, tu fais du judo.
13. Il va à la piscine, je vais au stade.
14. Est-ce que ce tableau appartient au musée ?
15. Tu n'écris pas souvent, il écrit beaucoup.

17. Écrire les verbes au présent :

Fait actuel

1. En ce moment, elle *(être)* malade ; elle *(souffrir)* beaucoup.
2. Nous *(descendre)* les escaliers très vite.
3. Maintenant, je *(avoir)* sommeil : je *(éteindre)* la lumière et je *(dormir).*
4. Vous *(regarder)* le bébé : il *(sourire)* aussitôt.
5. Aujourd'hui, il *(faire)* beau à Paris et il *(pleuvoir)* à Rouen.

Fait habituel

6. Il *(venir)* souvent à Paris.
7. Nous *(aller)* quelquefois au cinéma.
8. Il *(écrire)* rarement des lettres.
9. L'après-midi, il *(dormir).*
10. Vous *(boire)* parfois du vin.
11. Tu *(mettre)* quelquefois une cravate.
12. Vous *(prendre)* toujours le métro à Paris.
13. Je *(conduire)* rarement la nuit.
14. Le dimanche, nous *(faire)* de la bicyclette.
15. Le matin, tu *(partir)* toujours à huit heures.
16. Je *(lire)* le soir.

Vérité générale

17. Deux et deux *(faire)* quatre.
18. Les côtés d'un carré *(être)* égaux.
19. La Seine *(couler)* à Paris.
20. L'argent ne *(faire)* pas le bonheur.

18.

A/ Écrire les verbes du texte au présent :

Nous *(promener)* souvent le chien au parc. Nous *(partir)* le matin. Nous *(mettre)* un manteau car nous *(craindre)* le froid. Nous *(appeler)* le chien, il *(venir)* aussitôt et il *(aboyer)*, il *(être)* content. Nous *(éteindre)* la lumière, nous *(sortir)* et nous *(fermer)* la porte. Nous *(descendre)* vite l'escalier, nous *(courir)* dans la rue, le chien *(suivre)*. Nous *(acheter)* du pain à la boulangerie et nous *(pénétrer)* dans le parc.

Un chemin *(conduire)* au lac. Nous *(aller)* vers les canards. Nous *(plonger)* la main dans l'eau, elle ne *(paraître)* pas froide. Nous *(lancer)* du pain aux canards et nous *(jeter)* de gros morceaux à un grand cygne blanc. Il *(lever)* la tête, il *(vouloir)* du pain : il *(venir)*, *(ouvrir)* le bec, *(prendre)* les morceaux et *(repartir)* très vite ; nous *(applaudir)* et nous *(rire)*.

Nous *(poursuivre)* la promenade ; nous *(faire)* le tour du lac, nous *(laisser)* courir le chien. Nous *(pouvoir)* regarder les arbres, les fleurs et les oiseaux ; nous *(finir)* la promenade et nous *(revenir)* à la maison.

B/ Récrire le texte à la seconde personne du singulier : Tu...

19. Écrire les trois petites annonces à la 1re personne du singulier (je) **et au présent :**

A/ Avoir trente ans. Être un beau garçon. Aller souvent à la mer et à la montagne. Brunir vite. Plonger, nager, faire du bateau et du ski. Fumer peu, boire peu, manger avec plaisir. Aimer le cinéma et les voyages. Désirer rencontrer une jeune fille de vingt ou vint-cinq ans, jolie, sportive. Vouloir une longue vie à deux. Espérer le mariage et des enfants. Attendre une réponse rapide.

B/ Avoir vingt-cinq ans. Être divorcée, sans enfant, blonde, belle, cultivée. Chercher un homme tendre et intelligent et souhaiter un homme de 40 ans. Détester les chiens et la télévision mais posséder deux chats. Pouvoir vivre à l'étranger, parler trois langues. Savoir bien faire la cuisine et recevoir avec plaisir. Rire beaucoup et plaire souvent.

C/ Être un homme grand, mince, blond de trente-huit ans. Paraître sérieux mais avoir du charme. Comprendre et bien traduire l'anglais, l'espagnol et le grec. Voyager facilement et avoir des contacts multiples à l'étranger. Vouloir un emploi stable, bien rémunéré. Bien connaître les rapports dans l'entreprise. Savoir diriger des équipes. Pouvoir prendre des responsabilités. Réfléchir et décider vite. Envoyer un curriculum vitae et une photo sur demande. Répondre rapidement.

D/ Écrire vous-même une petite annonce.

6 Verbes et expressions suivis de l'infinitif

1. Mettez le deuxième verbe à l'infinitif :

Vous allez commenc... des études.
→ *Vous allez commencer des études.*

1. Delphine va ouvr... l'armoire.
2. Pierre vient de ferm... la porte.
3. Elles veulent écout... de la musique.
4. Ils n'ont pas envie de dans...
5. Vous savez fai... du ski.
6. Nous partons dîn... au restaurant.
7. Tu commences à parl... français.
8. Marc finit de li... le journal.
9. Maud fait ri... les enfants de la classe.
10. L'agent de police laisse part... l'automobiliste.
11. La salle peut conten... cinquante personnes.
12. Les étrangers doivent all... à la Préfecture.
13. Elle aime recev... des amis chez elle.
14. Tu as peur de dérang... les voisins.
15. Je déteste prend... le métro.

2.

A/ Écrivez au présent le verbe aller **pour former le futur proche :**

Je ...... aller au marché tout à l'heure.
→ *Je **vais** aller au marché tout à l'heure.*

1. Tu ...... revenir bientôt.
2. Ils ...... payer la semaine prochaine.
3. Vous ...... entrer au cinéma dans cinq minutes.
4. Nous ...... voir un film après-demain.
5. Il ...... répondre à la lettre de Jean demain.

B/ Mettez au futur proche :

Le train part.
→ *Le train **va** partir.*

1. Je monte dans l'avion.
2. Tu déménages.
3. Ils ferment le magasin.
4. Vous comprenez.
5. Le malade guérit.
6. Il est à la retraite à soixante-cinq ans.
7. Helen reste deux ans en France.
8. M. et Mme Champagne quittent Reims l'année prochaine.
9. Après des études de langues, il cherche un travail d'interprète.
10. Ils finissent les travaux dans un an.

3.

A/ Écrivez au présent le verbe venir de **pour former le passé proche :**

Il .... sortir.
→ *Il **vient de** sortir.*

1. Elle .... être malade.
2. Vous .... écouter un concerto de Bach.
3. Tu .... prendre une photo.
4. Ils .... avoir un enfant.
5. Nous .... visiter Rome.

B/ Mettez au passé proche :

Le train part.
→ *Le train **vient de** partir.*

1. Tu reçois une lettre importante.
2. Nous changeons d'appartement.
3. Ils achètent une voiture.
4. Le grand-père de Sébastien sort de l'hôpital.
5. Vous payez le loyer.

***4. Mettez le futur proche ou le passé proche selon le sens :**

Le film commence bientôt.
→ *Le film **va** commencer.*

Le film finit juste.
→ *Le film **vient de** finir.*

1. Le médecin arrive bientôt.
2. Nous finissons juste le chapitre 5.
3. Tu passes bientôt un examen.
4. J'apprends juste la nouvelle.
5. Il est bientôt quatre heures.

5. Mettez le premier verbe au présent, et le verbe suivant à l'infinitif :

A/

(vouloir) Je visite le Louvre.
→ *Je **veux** visit**er** le Louvre.*

1. *(vouloir)* Elle maigrit.
2. *(pouvoir)* Vous entrez.

3. *(devoir)* Tu vas chez le dentiste.
4. *(savoir)* Nous parlons trois langues.
5. *(désirer)* Elle rencontre le directeur.
6. *(espérer)* Tu réussis.
7. *(préférer)* Ils vivent à la campagne.
8. *(aimer)* Il joue au tennis.
9. *(détester)* Je marche.
10. *(faire)* Ils construisent une maison.

B/ *(partir)* Il fait une promenade.
→ *Il **part** faire une promenade.*

1. *(partir)* Vous faites des courses.
2. *(aller)* Nous écoutons une conférence.
3. *(venir)* Ils jouent au poker.
4. *(sortir)* Je mets une lettre à la poste.
5. *(revenir)* Tu cherches les clés.
6. *(repartir)* Elle achète du beurre.
7. *(rentrer)* Je travaille à la maison.
8. *(retourner)* Elles voient un beau film.
9. *(remonter)* Il prend un parapluie.
10. *(descendre)* Tu ouvres la porte.

6. Mettez le premier verbe au présent, et le verbe suivant à l'infinitif :

A/ *(avoir envie de)* Il mange un gâteau.
→ *Il **a envie de** manger un gâteau.*

1. *(avoir envie de)* Je vais au cinéma.
2. *(avoir envie de)* Vous buvez du champagne.
3. *(avoir envie de)* Nous jouons aux cartes.
4. *(avoir besoin de)* Tu dors.
5. *(avoir besoin de)* Elle prend des vacances.
6. *(avoir besoin de)* Ils répètent la pièce.
7. *(avoir peur de)* Nous arrivons en retard.
8. *(avoir peur de)* Vous faites une erreur.
9. *(avoir peur de)* Ils ratent le train.
10. *(avoir peur de)* Tu conduis la nuit.

B/ *(finir de)* Ils travaillent à 17 heures.
→ *Ils **finissent de** travailler à 17 heures.*

1. *(finir de)* Nous dînons.
2. *(finir de)* Je range la chambre des enfants.
3. *(finir de)* L'orateur parle.
4. *(commencer à)* Il énerve Julie.
5. *(commencer à)* Le bébé marche.
6. *(commencer à)* Nous perdons patience.
7. *(commencer à)* Il fait froid.
8. *(continuer à)* Tu fumes beaucoup.
9. *(continuer à)* Il pleut.
10. *(continuer à)* Elle pleure.

7.

A/ Mettez au présent le verbe entre parenthèses :

Je *(faire)* travailler Stéphane.
→ *Je fais travaill__er__ Stéphane.*

1. L'acteur *(faire)* pleurer les spectateurs.
2. Nous *(faire)* jouer les enfants.
3. Vous *(faire)* venir le médecin.
4. Le psychanalyste *(laisser)* parler le malade.
5. L'infirmière *(laisser)* dormir le bébé.
6. Tu *(laisser)* tomber les verres en cristal.
7. Tu *(voir)* atterrir l'avion.
8. Je *(voir)* passer le facteur dans la rue.
9. Elle *(ne pas entendre)* sonner le réveil.
10. Les locataires *(entendre)* crier les voisins.

B/ Complétez la phrase en imitant l'exemple :

Stéphane travaille. Je fais ......
→ *Je fais travaill__er__ Stéphane.*

1. Un aveugle traverse. Tu fais ......
2. Les machines marchent. Ils font ......
3. Le chien court. Vous laissez ......
4. Le jeune homme conduit. Le moniteur laisse ......
5. L'autobus part. Elle voit ......
6. Le métro arrive. Nous voyons ......
7. Les spectateurs sortent du cinéma. Vous voyez ......
8. Le chat miaule. Vous entendez ......
9. La pluie tombe. Nous entendons ......
10. Le train siffle. Tu entends ......

8.

A/ Complétez les expressions impersonnelles. Mettez la bonne lettre dans la case de droite :

A.	Il faut	☐	voir les yeux fermés.
B.	Il vaut mieux	☐	boire de l'alcool.
C.	Il est impossible de	☐	manger pour vivre.
D.	Il est interdit de	☐	bien parler le français.
E.	Il est difficile de......	☐	être en bonne santé.

B/ Faites une phrase sur le modèle de l'exercice précédent :

1. Il faut ......
2. Il vaut mieux ...
3. Il est possible de ......
4. Il est interdit de ......
5. Il n'est pas nécessaire de ......
6. Il est facile de ......
7. Il est obligatoire de ......
8. Il est difficile de ......
9. Il est impossible de ......
10. Il est permis de ......

9. Complétez les phrases avec un infinitif :

1. Tu aimes ......
2. Il veut ......
3. Elle vient de ......
4. On doit ......
5. Nous avons envie de ......
6. Elles partent ......
7. Vous pouvez ......
8. Je n'ai pas besoin de ......
9. Tu sais ......
10. Nous allons ......
11. Il faut ......
12. Elle sort ......
13. Vous commencez à ......
14. Il a peur de ......
15. Je finis de ......
16. Ils détestent ......
17. Tu laisses ......
18. Nous continuons à ......
19. J'entends ......
20. Elle fait ......

10. Soulignez les verbes suivis d'un infinitif :

Elle vient de téléphoner à une amie.
→ *Elle* ***vient de*** *téléphoner à une amie.*

Astrid aime beaucoup téléphoner. Au téléphone, elle est vraiment naturelle, elle peut librement raconter sa vie ou parler de la pluie et du beau temps.

Parfois, elle a envie d'avoir une discussion importante avec une amie. Pour cela, elle a besoin d'être bien installée : elle déteste rester debout et doit toujours avoir des coussins autour d'elle. Elle va d'abord fermer la porte, car elle veut être seule. Puis, elle commence à bavarder...

Pour téléphoner à Astrid, il faut être patient, son numéro est toujours occupé !

11. Texte

« Maintenant, je le sais bien. Je vais m'en aller. Je vais partir sur les routes de poussière, comme ma mère [...]. Moi aussi, je vais marcher devant mon ombre [...]. Je vais sortir, et dehors la nuit sera brillante. Il y aura une lune pleine [...]. Je vais courir contre le vent, je vais aller dans d'autres villes, peut-être jusqu'à Paris, jusqu'à Hambourg. Peut-être que je vais rencontrer l'homme qui sera mon mari [...]. Avec lui, j'irai jusqu'au bout du monde. Je suis libre, je suis nouvelle. Je suis quelqu'un d'autre. Je ne peux plus attendre. »

D'après J.-M.G. Le Clézio, *Printemps et autres saisons*, Éditions Gallimard.

N.B. Voir aussi le chapitre 13 sur le futur et le chapitre 22 sur les prépositions.

Les démonstratifs

7

1. Remplacez les pointillés par l'adjectif démonstratif qui convient :

Un garçon, un homme, une femme et des enfants font un pique-nique.
→ *Ce garçon, cet homme, cette femme et ces enfants font un pique-nique.*

1. Éric regarde une jeune fille ; ...... jeune fille est blonde.
2. Il est assis au café ; ...... café est à Paris.
3. Il y a un cendrier sur la table ; ...... cendrier est plein de cendres.
4. Le garçon apporte des sandwichs ; ...... sandwichs sont au jambon.
5. Il y a une librairie près de chez moi ; j'achète beaucoup de livres dans ...... librairie.
6. Je vais à l'hôtel de la gare ; ...... hôtel a de jolies chambres.
7. Tu portes deux valises ; ...... valises sont très lourdes.
8. Mes amis Leblanc ont un bel appartement ; ...... appartement est bien situé.
9. Il y a un oiseau sur la branche ; ...... oiseau chante.
10. Je mets des rideaux aux fenêtres ; ...... rideaux sont en coton.

2.

A/ Mettez les phrases au pluriel :

1. Cette sonate est de Chopin.
2. Ce concerto est de Beethoven.
3. Cet opéra est de Mozart.
4. Cette symphonie est de Brahms.
5. Ce concert est magnifique.

B/ Mettez les phrases au singulier :

1. Ces cantatrices sont célèbres.
2. Ces pianistes sont très connus.
3. Ces orchestres sont excellents.
4. Ces guitaristes sont espagnols.
5. Ces artistes sont pleines de talent.

3. Écrivez le pronom démonstratif. Imitez le modèle :

C'est le problème de Jean. → *C'est **celui** de Jean.*
C'est l'idée de Martine. → *C'est **celle** de Martine.*
Ce sont les projets d'Éric. → *Ce sont **ceux** d'Éric.*
Ce sont les paroles d'Iris. → *Ce sont **celles** d'Iris.*

1. Ce sont les valises du jeune homme.
2. C'est le ballon de Guillaume.
3. C'est la réponse de l'avocat.
4. Ce ne sont pas les lunettes de Jean.
5. C'est l'éléphant du zoo.
6. Ce sont les jouets des enfants.
7. Ce n'est pas le verre de Jacques.
8. C'est la salle des Impressionnistes.
9. Ce sont les tableaux du peintre.
10. Ce sont les sculptures de Michel-Ange.

4. Écrivez le pronom démonstratif qui convient :

A/ La soeur de Christian est jolie ; ...... d'Yvan aussi.
→ *La sœur de Christian est jolie ; **celle** d'Yvan aussi.*

1. Voici les clefs de mon appartement ; et voilà ...... de ma voiture.
2. J'aime les romans de Camus ; j'aime aussi ...... de Sartre.
3. Philippe n'est pas le mari de Joëlle, c'est ...... d'Edith.
4. Attention, ce n'est pas ta guitare ; c'est ...... de Luc.
5. Je n'aime pas ces gâteaux, je préfère ...... de mon pâtissier.

B/ Ces photos-ci sont belles, ... sont belles aussi.
→ *Ces photos-ci sont belles, **celles-là** sont belles aussi.*

1. Cette jeune fille-ci est blonde ; .... est brune.
2. Ce meuble-ci est ancien ; .... est moderne.
3. Ces pneus-ci sont neufs ; .... sont usés.
4. Cette actrice-ci est connue ; .... joue pour la première fois.
5. Ces colliers-ci sont en argent ; .... sont en or.

C/ Voici deux garçons : .... est debout ; .... est assis.
→ *Voici deux garçons : **celui-ci** est debout ; **celui-là** est assis.*

1. Voici des fleurs : .... sont jaunes, ... sont rouges.
2. Voici deux bouteilles : dans ...., il y a du vin, dans .... il y a du lait.
3. Voici deux enfants : .... a huit ans, ... a dix ans.
4. Ce sont deux commerçants : .... est honnête, ... est malhonnête.
5. Voici des hôtels : .... sont chers, ... sont bon marché.
6. Voici deux jeunes gens : .... est optimiste, ... est pessimiste.
7. Voici des tableaux : .... sont de Renoir, ... sont de Monet.
8. Voici des jeunes filles : .... sont sympathiques, ... sont antipathiques.
9. Voici deux parfums : .... sent bon, ... sent mauvais.
10. Ce sont des surprises : .... sont agréables, ... sont désagréables.

5.

A/ Mettez les phrases au pluriel :

1. Je déteste ce disque, j'aime mieux celui-là.
2. Cette idée-ci est bonne, celle-là est mauvaise.
3. Je n'aime pas ce roman de Zola ; je préfère celui de Balzac.
4. Cette voix n'est pas celle de la petite fille.
5. Cet homme-ci est grec ; celui-là est turc.

B/ Mettez les phrases au singulier :

1. Ces enfants ? Ce sont ceux de ma voisine.
2. Ces montres sont à l'heure exacte ; celles-là retardent.
3. Ces acteurs sont ceux des derniers films de Truffaut.
4. Ces voix sont aiguës, celles-là sont graves.
5. Ces bateaux sont au port, ceux des pêcheurs sont en mer.

6.

A/ Texte d'observation en langue familière :

« Bonjour Pierre, comment **ça va** ?
– **Ça va, comme ci comme ça.**
– Et ton travail ?
– **Ça y est** ! Je termine.
– Et ton patron, que dit-il ?
– Oh ! **ça m'est égal** ! J'en ai assez, **ça suffit**, je pars en vacances ! »

B/ Remplacez les pointillés par un adjectif ou un pronom démonstratif :

Mistigri, un chat gris
Est amoureux d'une souris.
Mais ...... amour est interdit
Car ...... petite souris
A déjà un mari.
.... est jaloux
Et déteste le matou !

N.B. Voir aussi le chapitre 25 sur les pronoms relatifs.

8 Les possessifs

1. Mettez l'adjectif possessif qui convient : mon, ma, mes ; ton, ta, tes ; son, sa, ses ; notre, nos ; votre, vos ; leur, leurs.

Ce sac est à moi.
→ *C'est **mon** sac.*

A/ *C'est à moi.*
1. Ce bracelet est à moi.
2. Cette bague est à moi.
3. Cette alliance est à moi.
4. Ces bijoux sont à moi.
5. Ces boucles d'oreille ne sont pas à moi.

B/ *C'est à toi.*
1. Ce lit est à toi.
2. Cette chambre est à toi.
3. Cet oreiller est à toi.
4. Ces couvertures sont à toi.
5. Ces draps ne sont pas à toi.

C/ *C'est à lui ou à elle.*
1. Ce film est à Agnès.
2. Cette caméra est à Éric.
3. Cet appareil-photo est à mon père.
4. Ces pellicules sont à Julie.
5. Ces albums sont à Nicolas.

D/ *C'est à nous.*
1. Ce journal est à nous.
2. Cette revue est à nous.
3. Cet hebdomadaire est à nous.
4. Ces quotidiens sont à nous.
5. Ces magazines sont à nous.

E/ *Ce n'est pas à vous.*
1. Ce plat n'est pas à vous.
2. Cette assiette n'est pas à vous.

3. Ces couteaux ne sont pas à vous.
4. Ces fourchettes ne sont pas à vous.
5. Ces cuillères ne sont pas à vous.

F/ *C'est à eux ou à elles.*

1. Ce voilier est aux jeunes gens.
2. Cette planche à voile est aux jeunes filles.
3. Ces bateaux sont aux marins.
4. Ces barques sont aux pêcheurs.
5. Ces sous-marins sont aux Anglais.

2. Trouvez l'adjectif possessif qui convient :

1. Je te présente ...... femme Eva, et ...... enfants Marc et Léa.
2. Éric écrit souvent à ...... amie Aline ; c'est ...... petite amie.
3. Nous cherchons un appartement : ...... studio est trop petit.
4. Mario, tu dois ranger ...... affaires ! ...... vêtements sont sous ...... lit, ... chaussettes sont au milieu de ...... chambre !
5. Aujourd'hui, les Millet viennent chez nous avec ...... enfants, ... chien et ...... perroquet !
6. N'oubliez pas ...... raquette et ...... chaussures de sport : nous allons jouer au tennis.
7. Nina part en voyage : dans ...... valise, il y a ...... robes, ... pantalons, ... écharpe rouge et ...... appareil-photo.
8. Pour notre voyage, voici ...... projets et ...... idées.
9. Les Rollin vont avec ...... amis dans ...... maison de campagne.
10. Je cherche ...... lunettes, ... cigarettes, ... briquet et ...... clefs.

3.

A/ Dans cette lettre, trouvez les adjectifs possessifs qui conviennent :

Mon petit papa,

Tout va bien ! ...... studio est petit, mais ...... loyer n'est pas très cher. Je peux mettre ...... livres sur ...... bureau et sur ...... étagères, et ...... placard est assez grand. ...... fenêtres donnent sur un jardin et je ne suis pas très loin de ...... université.

...... voisins sont sympathiques, ... cours intéressants et ...... copains sont amusants mais sérieux. Nous travaillons beaucoup ensemble : ...... travail semble assez facile et ...... professeurs sont satisfaits.

Je vais bientôt passer ...... premiers examens. Je compte sur ...... bonne étoile !

Gros baisers.

Fabienne

B/ Dans le texte précédent, remplacez je **par** Fabienne **:** ***Tout va bien ! Son studio ......***

4. Imitez le modèle en utilisant d'abord l'adjectif possessif puis le pronom possessif : le mien, la mienne, les miens, les miennes, etc. ; le nôtre, la nôtre, les nôtres, etc. ; le leur, la leur, les leurs.

Ces chaussures sont à moi.
→ *Ce sont* ***mes*** *chaussures. Ce sont* ***les miennes.***

A/ *C'est à moi.*

1. Ce whisky est à moi.
2. Cette vodka est à moi.
3. Cette eau minérale est à moi.
4. Ces verres sont à moi.
5. Ces bouteilles sont à moi.

B/ *C'est à toi.*

1. Ce poste de télévision est à toi.
2. Cette calculatrice est à toi.
3. Cet appareil est à toi.
4. Ces cassettes sont à toi.
5. Ces disques sont à toi.

C/ *C'est à lui ou à elle.*

1. Ce briquet est à Aline.
2. Cette pipe est à Pierre.
3. Cette allumette est à Hélène.
4. Ces cigarettes sont à Marc.
5. Ces cigares sont à Paul.

D/ *Ce n'est pas à nous.*

1. Ce perroquet n'est pas à nous.
2. Cette panthère n'est pas à nous.
3. Ces crocodiles ne sont pas à nous.
4. Ces girafes ne sont pas à nous.
5. Ces éléphants ne sont pas à nous.

E/ *C'est à vous.*

1. Ce studio est à vous.
2. Cette chambre est à vous.
3. Ces villas sont à vous.
4. Ces châteaux sont à vous.
5. Ces immeubles sont à vous.

F/ *C'est à eux ou à elles.*

1. Cet oiseau est à M. et Mme Servant.
2. Cette chatte est à mes amis Bacot.
3. Ces chevaux sont aux Laborde.
4. Ces chiennes sont aux voisines.
5. Ces serpents sont aux Brisefer.

5. Remplacez les expressions soulignées par un pronom possessif :

1. Mon père a cinquante ans. Et toi, quel âge a ton père ?
2. Je n'ai pas mes cigarettes. Où sont celles de Charles ?
3. Mes valises sont dans la voiture. Où sont celles de Philippe et d'Alice ?
4. J'ai ton numéro de téléphone, mais je n'ai pas celui d'Yves.
5. As-tu tes papiers d'identité ? Moi, je ne trouve plus mes papiers.
6. Mon parfum est « Poison » de Dior. Et vous, quel est votre parfum ?
7. Vos parents sont encore jeunes ; nos parents sont âgés.
8. Ta fille joue du piano ; ma fille joue du violon.
9. Je n'ai pas ma voiture. Pouvez-vous me prêter votre voiture ?
10. Je prends mon parapluie. Bertrand prend aussi son parapluie.

6. Remplacez les pointillés par un adjectif ou un pronom possessif :

...... cher Philippe

Comment s'est passé ...... déménagement ? Je n'ai pas eu de problème pour .... À la maison, j'ai trouvé une place pour toutes ...... affaires. Et toi, peux-tu ranger toutes .... ?

Y a-t-il assez de place pour ...... meubles ? Et ...... vaisselle ? Rien de cassé ? .... est en bon état. ...... jardin, comment est-il ? Ici, ... est déjà plein de fleurs. Et comment est ...... garage ? .... est très grand. ...... enfants sont-ils contents de ...... nouvelle chambre ? .... sont ravis de ....

Et ...... femme, que pense-t-elle de ...... nouvelle maison ? ...... femme, elle, aime beaucoup ....

Et la ville ? Que penses-tu de Rouen ? Est-ce que tu ne regrettes pas Paris, ... appartement, ... quartier ? J'espère que tu n'oublies pas ...... amis. Tu vois, moi, je n'oublie pas ....

Réponds vite à toutes ...... questions. Je suis impatient d'avoir de ...... nouvelles !

À bientôt.

Nicolas.

9 Les adverbes

1. Écrivez l'adjectif au féminin puis formez l'adverbe :

A/ frais → *fraîche* → *fraîchement.*

1. franc
2. doux
3. parfait
4. certain
5. simple
6. joyeux
7. heureux
8. normal
9. faible
10. libre
11. rare
12. spécial
13. rapide
14. facile
15. clair
16. amical
17. actif
18. vif
19. sûr
20. seul

B/ habituel → *habituelle* → *habituellement.*

1. annuel
2. mensuel
3. manuel
4. naturel
5. réel

C/ cher → *chère* → *chèrement.*

1. premier
2. dernier
3. entier
4. régulier
5. complet
6. discret
7. secret
8. léger

D/ profond → *profonde* → *profondément.*

1. énorme 2. confus 3. précis

E/ Imitez le modèle. Faites attention à la formation de l'adverbe qui est irrégulière :

violent → *violemment.*
élégant → *élégamment.*

1. patient
2. prudent
3. évident
4. fréquent
5. récent
6. suffisant
7. courant
8. méchant

F/ Imitez le modèle. Attention, l'adverbe se forme sur l'adjectif masculin :

poli → *poliment*.

1. vrai
2. absolu
3. joli
4. passionné

2. Complétez les phrases par un adverbe :

1. La voiture est rapide. Elle roule ......
2. Sylvie parle d'une voix douce. Elle parle ......
3. L'exercice est facile. Je fais l'exercice ......
4. Nicolas est franc. Il parle ......
5. Le frère de Paul est violent. Il crie ......
6. Pierre est sérieux. Il travaille ......
7. Éric est patient. Il attend ...... l'autobus.
8. L'arbre de Noël est joli. Il est ...... décoré.
9. Le jeune homme est poli. Il écoute ...... le vieil homme.
10. Tu regardes Guy d'un air méchant. Tu regardes Guy ......

3. Complétez les phrases par un adverbe. Attention, l'adverbe est invariable :

Les gâteaux au chocolat sont **bons** (adjectif).
→ *Les fleurs sentent **bon*** (adverbe).

1. À Paris, les appartements sont chers. Les bijoux coûtent ......
2. Aline peut porter un poids de 50 kilos : elle est forte.
   Parlez moins ...... ! Vous allez réveiller le bébé.
3. Les perles de Mme Bolero sont fausses. Catherine chante ......
4. Sophie parle à voix basse. Elle parle tout ......
5. Je trace une ligne droite. Eva marche ...... devant elle.
6. La pierre est dure. Apprendre une langue étrangère, c'est ......

4.

A/ Imitez le modèle :

J'ai **seulement** un frère.
→ *Je n'ai qu'un frère.*

1. Tu as seulement deux amis.
2. Nous avons seulement un dictionnaire.
3. Les Smith ont seulement un enfant.
4. Pierre a seulement des pantalons gris.
5. Le lapin mange seulement des carottes.

B/ Récrivez les phrases. Utilisez seulement **:**

1. Je n'ai que quinze francs dans mon porte-monnaie.
2. Peter n'a que deux balles de tennis.
3. Il n'y a que trois maisons dans le village.
4. Cette année, je n'ai que huit jours de vacances.
5. Les Davies ne vont qu'une fois par mois au cinéma.

5.

A/ Donnez le contraire des adverbes :

1. Il travaille bien.
2. Je marche devant.
3. Tu parles beaucoup.
4. Le temps passe vite.
5. Le Louvre ? Ce n'est pas très près.
6. Nous allons souvent chez vous.
7. Il arrive tôt.
8. En ce moment, vous travaillez plus.
9. Ces parfums sentent bon.
10. Le chat est-il dans la maison ? Oui, il est dedans.

B/ Formez l'adverbe et faites une phrase :

Fumer *(rare)* → *Tu fumes* ***rarement.***

1. Comprendre *(difficile)*
2. Parler *(courant)*
3. Agir *(libre)*
4. Travailler *(énorme)*
5. Conduire *(prudent)*
6. Répondre *(poli)*
7. Sortir *(fréquent)*
8. Écouter *(patient)*
9. Manger *(léger)*
10. Dormir *(profond)*.

L'interrogation et l'exclamation

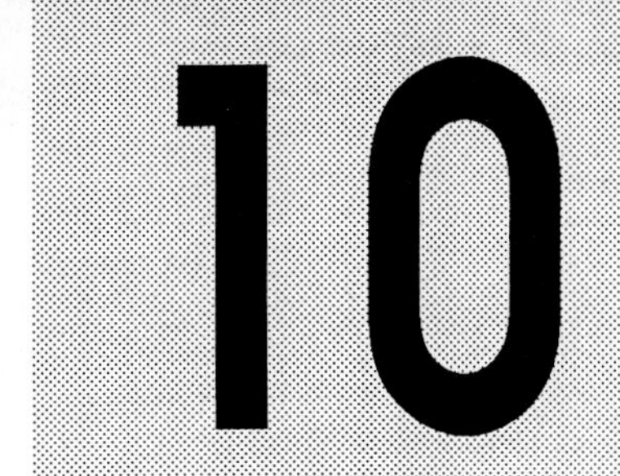

1. Posez la question sous les trois formes indiquées :

A/

Oui, c'est une question.
→ ***Est-ce*** *une question ?*
→ ***Est-ce que c'est*** *une question ?*
→ *C'est une question* ? (langue familière)

1. Oui, c'est une nouvelle leçon.
2. Oui, c'est l'avion pour Rome.
3. Oui, c'est la sœur de François.
4. Oui, c'est le seul problème.
5. Oui, Marseille, c'est dans le sud de la France.

B/

Il est malade.
→ ***Est-il*** *malade ?*
→ ***Est-ce qu'il*** *est malade ?*
→ *Il est malade* ? (langue familière)

1. Il est aviateur.
2. Elle est hôtesse de l'air.
3. Il est seul dans sa chambre.
4. Elles sont en retard.
5. Nous sommes en avance.

C/

L'oiseau est dans l'arbre.
→ *L'oiseau **est-il** dans l'arbre ?*
→ ***Est-ce que** l'oiseau est dans l'arbre ?*
→ *L'oiseau est dans l'arbre ?* (langue familière)

1. Patrick est dans la salle d'attente.
2. Le pilote est à l'heure.
3. L'avion est sur la piste n° 3.
4. Les passagers sont en transit.
5. Les boutiques de l'aéroport sont fermées la nuit.

2. Posez la question sous deux formes différentes :

Il y a une poste près d'ici.
→ ***Y a-t-il** une poste près d'ici ?*
→ ***Est-ce qu'il y a** une poste près d'ici ?*

1. Il y a un pilote dans l'avion.
2. Il y a un vol pour Madrid à neuf heures.
3. Il y a une tour de contrôle à l'aéroport.
4. Il y a des hommes d'affaires à l'avant de l'avion.
5. Il y a des places pour les fumeurs à l'arrière de l'avion.

3. Posez la question sous deux formes différentes et répondez :

Tu vas au cinéma ce soir.
→ ***Vas-tu** au cinéma ce soir ?*
→ ***Est-ce que tu vas** au cinéma ce soir ?*
→ *Oui, **je vais** au cinéma ce soir.*

1. Tu es libre ce soir.
2. Vous prenez souvent l'avion.
3. Tes sœurs viennent à Paris.
4. Tu aimes beaucoup les voyages.
5. L'avion Paris-Nice est toujours plein.

4. Posez la question sous deux formes différentes :

1. Nathalie est dans l'avion pour Venise.
2. Vous avez du feu.
3. Le directeur voyage souvent.
4. Le vol pour Sydney est retardé.
5. Philippe veut regarder le film.
6. Cette femme a peur en avion.
7. Nous embarquons à onze heures.
8. Les vols pour Edimbourg sont annulés.
9. Ces passagers doivent changer d'avion.
10. C'est merveilleux de voler en Concorde.

5.

A/ Répondez à la question :

Qui est là ? → ***C'est** Jean.*

1. Qui est à la porte ?
2. Qui est au téléphone ?
3. Qui est à la maison ?
4. Qui vient déjeuner ?
5. Qui est le président de la République française ?

B/ Répondez à la question :

Qui êtes-vous ? → ***Je suis** Julien Sorel.*

1. Qui êtes-vous ?
2. Qui cherchez-vous ?
3. Qui attends-tu ?
4. Qui demandez-vous ?
5. Qui vois-tu ce soir ?

C/ Posez la question sous deux formes différentes et répondez :

Faire le pain.
→ ***Qui** fait le pain ?*
→ ***Qui est-ce qui** fait le pain ?*
→ ***C'est** le boulanger.*

1. Soigner les malades.
2. Écrire dans un journal.
3. Diriger une banque.
4. Payer le loyer.
5. Réparer les chaussures.

D/ Posez la deuxième question et répondez :

Qui voyez-vous là-bas ?
→ ***Qui est-ce que** vous voyez là-bas ?*
→ ***Je vois** Jeremy et son frère.*

1. Qui connais-tu à Paris ?
2. Qui accompagne-t-il ?
3. Qui veux-tu inviter pour ton anniversaire ?
4. Qui emmènes-tu au cinéma ?
5. Qui applaudissent-ils ?

6. Posez la question sous deux formes différentes :

A/

Elle écrit à Jean.
→ ***À qui** écrit-elle ?*
→ ***À qui est-ce qu'**elle écrit ?*

1. Ces gants appartiennent à Hubert.
2. Je téléphone à mon médecin.
3. Il répond à son professeur.
4. Nous parlons à nos voisins.
5. Ils pensent à leurs amis.

B/

Je parle **de** Judith
→ ***De qui** parles-tu ?*
→ ***De qui est-ce que** tu parles ?*

1. Nous parlons **de** Julien.
2. La jeune fille s'occupe **de** ses frères.
3. Il habite **chez** une amie.
4. Sophie se marie **avec** Denis.
5. Ils votent **pour** ce candidat.

7. Posez la question sous deux formes différentes :

C'est un tube d'aspirine. → ***Qu'est-ce ?***
→ ***Qu'est-ce que c'est ?***
Je regarde la télévision. → ***Que** regardes-tu ?*
→ ***Qu'est-ce-que** tu regardes ?*

1. C'est un très joli cadeau.
2. Je fais un exercice.
3. C'est du dentifrice.
4. Elle dit des bêtises.
5. Elles cherchent un taxi.
6. Je fume des blondes.
7. Nous prenons du caviar.
8. C'est l'avion de Delhi.
9. Je veux un café.
10. Nous buvons du champagne.

8. Répondez à la question :

A/

Qu'est-ce qui intéresse les jeunes ?
→ ***C'est** la musique.*

1. Qu'est-ce qui brille dans le ciel ?
2. Qu'est-ce qui éclaire la chambre ?
3. Qu'est-ce qui tombe sur les montagnes ?
4. Qu'est-ce qui sent très bon ?
5. Qu'est-ce qui fait peur aux enfants ?

B/

Qu'est-ce que tu lis ?
→ *Je lis un roman policier.*

1. Qu'est-ce que tu écoutes ?
2. Qu'est-ce que vous fumez ?
3. Qu'est-ce que tu as comme voiture ?
4. Qu'est-ce que vous voulez pour le déjeuner ?
5. Qu'est-ce qu'il y a au menu ?

C/

1. Qu'est-ce que tu choisis comme dessert ?
2. Qu'est-ce qui brûle dans la cuisine ?
3. Qu'est-ce qu'il y a comme film à la télévision ce soir ?
4. Qu'est-ce qui fait pleurer les filles ?
5. Qu'est-ce que tu cherches ?

9. Posez la question sous deux formes différentes :

Il pense **à** son avenir.
→ ***À quoi*** *pense-t-il ?*
→ ***À quoi est-ce qu'****il pense ?*

1. Je pense **aux** prochaines vacances.
2. Elle joue **à** la poupée.
3. Tu rêves **à** ton futur bateau.
4. Il s'intéresse **à** ton projet.
5. Nous parlons **de** la soirée d'hier.
6. Elles discutent **de** la politique italienne.
7. Il est couché **sur** le canapé.
8. Vous commencez **par** un potage.
9. Il est **en** bois.
10. Elle est assise **devant** un puzzle.

10. Répondez à la question :

A/

Où est Paris ? → ***C'est en*** *France.*
Mexico, où est-ce ? → ***C'est au*** *Mexique.*

1. Où est Rome ?
2. Où est Lisbonne ?
3. Madrid, où est-ce ?
4. Où est Pékin ?
5. Casablanca, où est-ce ?

B/

Où est ta chambre ?
→ *Elle est au premier étage.*

1. Où est votre hôtel ?
2. Où est Philippe ?
3. Où est la clé de la voiture ?
4. Où sont mes lunettes ?
5. Où sont tes chaussures ?

C/

1. Où vas-tu ?
2. Où habites-tu ?
3. Où travailles-tu ?
4. Où allez-vous en vacances ?
5. Où allons-nous dîner ce soir ?

11. Posez la question sous deux formes différentes :

A/

J'arrive demain à Paris.
→ ***Quand*** *arrives-tu ?*
→ ***Quand est-ce que*** *tu arrives ?*

1. Je pars dimanche prochain.
2. Elle prend ses vacances en juillet.
3. Il déménage demain.
4. Je reviens à Paris dans une semaine.
5. Elle se marie au mois de juin.

***B/**

Je suis en France depuis le 10 janvier.
→ ***Depuis quand*** *êtes-vous en France ?*
→ ***Depuis quand est-ce que*** *vous êtes en France ?*

1. Il est à Toulouse depuis le mois de mars.
2. Elle est malade depuis samedi.
3. Vous vivez ici depuis le 5 février.
4. Tu fumes depuis l'âge de quinze ans.
5. Elle connaît François depuis son enfance.

***C/**

Pierre reste en France jusqu'à Noël.
→ ***Jusqu'à quand*** *reste-t-il en France ?*
→ ***Jusqu'à quand est-ce qu****'il reste en France ?*

1. Olivier reste chez son ami jusqu'à lundi.
2. Nous restons en Italie jusqu'en avril.
3. Je vais attendre sa lettre jusqu'à demain.
4. Tu travailles à Reims jusqu'à la fin de l'année.
5. J'ai besoin de ta voiture jusqu'à vendredi.

12. Trouvez la question qui correspond à la réponse :

A/

Il va mieux.
→ ***Comment*** *va votre père ?*

1. Je vais très bien.
2. Je m'appelle Zoé.
3. Je joue mal.
4. Elle parle bien.
5. Nous rentrons en métro.

B/

...... parce que j'ai du travail.
→ ***Pourquoi*** *pars-tu ?*

1. ...... parce que j'ai mal à la tête.
2. ...... parce qu'il pleut.
3. ...... parce que c'est une ville intéressante.
4. ...... parce qu'elle a une mauvaise vue.
5. ...... parce que j'ai froid.

C/

Je reste six mois en France.
→ ***Combien de*** *temps restes-tu en France ?*

1. Ils ont trois enfants.
2. Je mets deux sucres dans mon café.
3. Il y a trois pièces dans cet appartement.
4. Je vais danser quatre fois par semaine.
5. Il y a trois mille habitants dans cette ville.

D/

Je vis ici depuis deux mois.
→ ***Depuis combien de temps*** *vis-tu ici ?*

1. Elle prend ce remède depuis trois semaines.
2. Je travaille dans ce magasin depuis dix ans.
3. Il pleut depuis deux jours.
4. Les deux champions jouent depuis trois heures.
5. Ils sont en voyage depuis six mois.

13. Répondez à la question :

A/ Quel est ton prénom ?
→ *C'est Juliette.*

1. Quel est ton nom ?
2. Quelle est ton adresse ?
3. Quels sont tes prénoms ?
4. Quels sont tes acteurs préférés ?
5. Quelles sont tes chansons favorites ?

B/
1. Quel âge as-tu ?
2. Quelle heure est-il ?
3. Quelle est la couleur de tes yeux ?
4. Quel temps fait-il ce matin ?
5. Quels amis invites-tu ce soir ?

***C/**
1. À quelle heure finis-tu ton travail ?
2. Vers quelle heure rentres-tu chez toi ?
3. À quelle station de métro descends-tu ?
4. Pour quel pays veux-tu partir ?
5. De quel livre parlez-vous ?

***D/ Mettez l'adjectif interrogatif qui convient :**

1. De ...... couleur est le ciel ?
2. ...... jour reviens-tu ?
3. De ...... nationalité es-tu ?
4. Pour ...... raisons refuses-tu ce travail ?
5. ...... sont tes problèmes ?

***E/ Posez la question avec** quel(s), quelle(s) :

L'avion part **de** Roissy.
→ ***De quel** aéroport part l'avion ?*

1. Je reviens de Pologne.
2. L'avion atterrit à midi.
3. Elles habitent au cinquième étage.
4. Ses yeux sont verts.
5. Mes amis habitent dans le quinzième arrondissement.

***14. Complétez la phrase avec le pronom qui convient :** lequel, laquelle, lesquels, lesquelles.

Voici trois bons disques. ...... veux-tu écouter ?
→ ***Lequel** veux-tu écouter ?*

1. J'ai deux chemisiers. ...... préfères-tu ?
2. Il y a trois actrices dans ce film. À ton avis, ... est la plus jolie ?
3. Voici des fleurs. ...... allons-nous offrir à Marion ?
4. Voilà des journaux. ...... est intéressant à lire ?
5. Tu aimes tous les gâteaux. Mais ...... vas-tu choisir ?
6. Parmi les amies de Bruno, ... connais-tu déjà ?
7. ...... de ces deux livres est le plus facile à lire ?
8. Dans ...... de ces boutiques achètes-tu du fromage ?
9. Pour ...... de tes amis organises-tu cette fête ?
10. Avec ...... de ces filles sors-tu ?

15. Répondez aux questions :

1. Le beaujolais, qu'est-ce que c'est ?
2. De quelle nationalité êtes-vous ?
3. Qu'est-ce qui fait du bruit dans la rue ?
4. Qui distribue le courrier chaque jour ?
5. Quels sont vos fruits préférés ?
6. Que vend le libraire ?
7. Où est Nice ?
8. Pourquoi arrives-tu en retard ?
9. À quelle heure dînez-vous ?
10. Combien coûte l'aller-retour Paris-New York ?

16. Quelles questions posez-vous quand :

1. Vous rencontrez quelqu'un pour la première fois.
2. Vous allez dans une agence de voyage. Vous voulez prendre le train ou l'avion.
3. Vous allez au restaurant. Vous demandez des conseils sur le choix des plats.
4. Vous entrez dans une boutique de chaussures.
5. Vous prenez rendez-vous chez un médecin.

17. Lisez le texte et observez les formes interrogatives :

Les grandes personnes aiment les chiffres. Quand vous leur parlez d'un nouvel ami, elles ne vous questionnent jamais sur l'essentiel. Elles ne vous disent jamais : « Quel est le son de sa voix ? Quels sont les jeux qu'il préfère ? Est-ce qu'il collectionne les papillons ? »

Elles vous demandent : « Quel âge a-t-il ? Combien a-t-il de frères ? Combien pèse-t-il ? Combien gagne son père ? » Alors seulement elles croient le connaître.

D'après A. de Saint-Exupéry, *Le Petit Prince*, Éditions Gallimard.

18. Formez une phrase exclamative :

A/

Un siècle – long.
→ *Un siècle,* ***que c'est*** *long !*

1. Les jours de pluie – triste.
2. Apprendre le français – difficile.
3. Tomber dans l'escalier – bête.
4. Vivre à Tokyo – cher.

B/

Il fait très froid, ce matin.
→ ***Qu'****il fait froid, ce matin !*
→ ***Comme*** *il fait froid, ce matin !*

1. Il fait très chaud, cet été.
2. Tu es très gentil avec moi.
3. Elle est très chic, ce soir.
4. Ils sont très désagréables, ces gens.

C/

Tu es guéri. *(bonheur)*
→ ***Quel*** *bonheur !*
Tu m'emmènes au cinéma. *(bonne idée)*
→ ***Quelle*** *bonne idée !*

1. Tu as raté ton examen. *(dommage)*
2. Il pleut toute la journée. *(temps de chien)*
3. Tu as gagné. *(chance)*
4. Ce tableau est affreux. *(horreur)*
5. J'ai fait une croisière merveilleuse. *(vacances)*

N.B. Voir aussi le chapitre 22 sur les prépositions.

11 La négation

1.2.3.	**Ne ...... pas, ne ...... pas de.**
4.	**Ne ...... pas encore, ne ...... plus, ne ...... jamais, ne ...... pas toujours, ne ...... pas souvent**
5.6.	**Ne ...... pas du tout, ne ...... plus du tout. Ne ...... ni ...... ni ......**
7.	Forme négative de l'infinitif
8.	Forme interro-négative
9.	Adjectifs à sens négatif
10.	Révision

1.

A/ Répondez à la forme négative :

Est-ce que Diane est grande ?
→ *Non, elle **n'**est **pas** grande.*

1. Est-ce que tu es content ?
2. Est-ce que nous sommes loin du métro ?
3. Est-ce que c'est un jour de congé ?
4. Est-ce que c'est mon carnet de chèque ?
5. Est-ce que ce sont les skis de Raphaël ?
6. Est-ce que vous avez faim ?
7. Est-ce que Jérôme a peur ?
8. Est-ce qu'elles savent taper à la machine ?
9. Est-ce qu'ils partent à la campagne ?
10. Est-ce qu'elle travaille le dimanche ?

B/ Mettez à la forme négative :

Il ouvre **la** porte.
→ *Il **n'**ouvre **pas la** porte.*

1. Vous avez le téléphone.
2. Tu dis la vérité.
3. Nous connaissons le nom du directeur.

4. Caroline aime la musique classique.
5. Albertine pense à l'avenir.

C/ Même exercice :

Ils cherchent **leur** chemin.
→ *Ils* ***ne*** *cherchent* ***pas leur*** *chemin.*

1. Tu ranges ta chambre.
2. Il fait son lit.
3. J'ai besoin de ton aide.
4. Nous téléphonons à nos parents.
5. Éric pense à ses amis.

D/ Même exercice :

Ils achètent **cette** maison.
→ *Ils* ***n'****achètent* ***pas cette*** *maison.*

1. Julie comprend cette explication.
2. Nous voulons vendre ces meubles.
3. Les Roux habitent ce quartier.
4. J'ai envie de ce collier.
5. Vous connaissez cet hôtel.

2. Mettez à la forme négative :

A/

Elle a **un** sac.
→ *Elle* ***n'****a* ***pas de*** *sac.*

1. Nous avons une maison à la campagne.
2. Pauline regarde des photos.
3. Julien possède des timbres rares.
4. Tu as une pièce d'identité.
5. Je connais un bon dentiste.
6. Il y a un porte-monnaie dans ton sac.
7. Il y a des pièces de 30 francs.
8. Il y a un bureau de change.
9. Il y a des guichets libres.
10. Il y a une porte automatique.

B/

J'ai **du** travail.
→ *Je* ***n'****ai* ***pas de*** *travail.*

1. Tu bois du café.
2. Vous prenez de la moutarde.
3. Elles perdent du temps.
4. Nous gagnons de l'argent.
5. Le marchand de tabac a de la monnaie.
6. Hubert fait des économies.
7. Il a de l'énergie.
8. Cédric a de la chance.
9. Il y a du soleil.
10. Il y a de la circulation aujourd'hui.

C/

C'est **un** jeu amusant.
→ *Ce* ***n'****est* ***pas un*** *jeu amusant.*

1. C'est une belle sculpture.
2. C'est du chocolat au lait.

3. Ce sont des études difficiles.
4. C'est de l'essence ordinaire.
5. C'est du courrier urgent.

3. Mettez à la forme négative :

1. Nous prenons l'autobus.
2. Marc a des idées.
3. Vincent et Bruno font des études.
4. Elle aime les orages.
5. Il y a des lettres dans la boîte.
6. C'est du café italien.
7. Tu vas visiter ce musée.
8. Nous envoyons ces paquets par avion.
9. Ce sont des rendez-vous importants.
10. J'ai ton adresse.

4. Mettez à la forme négative en imitant le modèle :

A/

La boulangerie est **déjà** fermée.
→ *La boulangerie* ***n'****est* ***pas encore*** *fermée.*

1. Étienne a déjà vingt ans.
2. Camille a déjà un compte bancaire.
3. Il y a déjà des fleurs dans les prés.
4. Ce bébé de onze mois marche déjà.
5. Cette actrice est déjà connue.

B/

La boulangère a **encore** du pain.
→ *La boulangère* ***n'a plus*** *de pain.*

1. Sophie est encore chez ses parents.
2. Dans cette boutique, il y a encore des soldes.
3. Il reste encore des fruits dans la corbeille.
4. Ils veulent encore du fromage.
5. J'utilise encore cette vieille machine.

C/

Ce magasin est **toujours** plein.
→ *Ce magasin* ***n'****est* ***jamais*** *plein.*
→ *Ce magasin* ***n'****est* ***pas toujours*** *plein.*

1. Les Duval vont toujours en Provence l'été.
2. Aline déjeune toujours chez elle.
3. Monique prend toujours l'autobus.
4. Jacques dit toujours « Bonjour » le matin.
5. Antoine est toujours à l'heure.

***D/**

Philippe va **souvent** au cinéma.
→ *Philippe* ***ne*** *va* ***jamais*** *au cinéma.*
→ *Philippe* ***ne*** *va* ***pas souvent*** *au cinéma.*

1. Bernard rentre souvent tard le soir.
2. Eléonore voit souvent les amis de son frère.
3. M. Berval parle souvent de son travail.

***E/**

Albert joue **parfois** au tennis.
→ *Albert* ***ne*** *joue* ***jamais*** *au tennis.*
→ *Albert* ***ne*** *joue* ***pas souvent*** *au tennis.*

1. Béatrice est quelquefois absente.
2. Noémi rencontre parfois son professeur dans la rue.
3. Frédéric travaille quelquefois la nuit.

5. Donnez une réponse négative en suivant le modèle :

A/ Est-ce que vous avez **très** froid ?
→ *Non, **pas du tout**. Je **n'**ai **pas du tout** froid.*

1. Est-ce que ce livre est très intéressant ?
2. Est-ce que votre quartier est très bruyant ?
3. Il est blessé. Est-ce que c'est grave ?
4. Jouer de la guitare, est-ce que c'est facile ?
5. Est-ce que c'est cher ?

B/ Est-ce que vous avez **encore** froid ?
→ *Non, **plus du tout**. Je **n'**ai **plus du tout** froid.*

1. Est-ce que François est encore fatigué ?
2. Est-ce que tu as encore faim ?
3. Est-ce qu'il est encore en colère ?
4. Est-ce que ta vieille voiture marche encore ?
5. Est-ce que ce costume est encore à la mode ?

6. Mettez les phrases suivantes à la forme négative :

A/ Elle aime la bière et le whisky.
→ *Elle **n'**aime **ni** la bière **ni** le whisky.*

1. Vous parlez l'anglais et l'espagnol.
2. Je fais la cuisine et le ménage.
3. Ils invitent les parents et les enfants.
4. Nous finissons nos exercices et notre rédaction.
5. Tu aimes cette commode et ce bureau.

B/ Il a **un** père et **une** mère.
→ *Il **n'**a **ni** père **ni** mère.*

1. Je porte une cravate et un chapeau.
2. Tu manges des tomates et des champignons.
3. Elle boit du thé et du café.
4. Nous lisons des romans et des livres d'histoire.
5. Vous faites du tennis et de la natation.

7.

A/ Mettez l'infinitif à la forme négative :

Les gens préfèrent – avoir des problèmes.
→ *Les gens préfèrent **ne pas avoir de** problèmes.*

1. Nous aimons mieux – avoir des dettes.
2. M. Leblanc déteste – avoir de l'argent sur son compte.
3. Mme Dupré dit de – aller trop vite sur la route.
4. Le professeur demande de – arriver en retard au cours.
5. Mme Radin fait attention à – dépenser trop d'argent.

***B/ Écrivez une phrase négative avec les éléments indiqués :**

Ne pas fumer dans le cinéma. *(Le directeur – aux spectateurs – demander de).*
→ *Le directeur demande aux spectateurs de* ***ne pas fumer*** *dans le cinéma.*

1. Ne pas faire de bruit. *(La mère de famille – aux enfants – demander de).*
2. Ne pas se pencher au dehors. *(La S.N.C.F. – aux voyageurs – recommander de).*
3. Ne pas dépasser la dose prescrite. *(Les pharmaciens – aux malades – conseiller de).*

8. Donnez une réponse affirmative :

Est-ce que vous **n'**êtes **pas** infirmière ?
→ ***Si****, je suis infirmière.*

1. Est-ce que vous n'avez pas soif ?
2. Est-ce que vous n'êtes pas perdu ?
3. Est-ce que la banque ne ferme pas le samedi ?
4. Est-ce que vous ne parlez pas russe ?
5. Est-ce que vous ne changez pas souvent d'avis ?

9. Donnez une réponse négative puis trouvez l'adjectif contraire :

Est-ce que ce commerçant est honnête ?
→ *Non, il* ***n'****est* ***pas*** *honnête, il est* ***malhonnête****.*

1. Est-ce que cette vendeuse est agréable ?
2. Est-ce que les animaux du zoo sont heureux ?
3. Est-ce que cet acteur est connu ?
4. Est-ce que ce texte est facile à comprendre ?
5. Est-ce que cet automobiliste est prudent ?

10.

A/ Écrire une lettre pour demander de l'argent avec les éléments suivants :

Chers parents – ne plus avoir d'argent – ne pas avoir encore de travail – pourtant, dépenser peu – ne pas acheter trop de choses – la banque ne pas prêter facilement – ne pas pouvoir emprunter à un ami – ne pas du tout aller au cinéma – ne jamais voyager – merci de votre aide.

B/ Vous êtes dans un magasin. Vous posez des questions à la vendeuse. Elle répond toujours négativement. Imaginez le dialogue.

C/ Mettez les phrases du texte à la forme négative :

J'ai de la chance ! J'ai des amis, des frères, des voisins ! Mes parents sont encore là pour m'aider. Je suis déjà marié, j'ai une femme et des enfants. Mon travail est intéressant, mes collègues sont très aimables, j'ai souvent des vacances, et je gagne beaucoup d'argent !

Je ris tout le temps, je sors souvent, j'ai des distractions ! J'ai une vie facile, je suis très heureux.

N.B. Voir aussi le chapitre 12 sur les indéfinis et le chapitre 15 sur le passé composé.

Les indéfinis, pronoms et adjectifs

12

1. Mettez le pronom on **et écrivez la phrase :**

...... *(avoir)* sommeil après minuit.
→ *On a sommeil après minuit.*

1. Pendant les vacances, ... *(être)* très libre.
2. Le dimanche, ... *(ne pas pouvoir)* aller à la banque.
3. Dans cette boutique, ... *(devoir)* payer en liquide.
4. Avec un somnifère, ... *(dormir)* plusieurs heures.
5. Silence, ... *(tourner)* un film !
6. J'entends des pas, ... *(venir)*.
7. ...... *(aller)* réparer la télévision, elle est en panne.

8. ...... *(devoir)* téléphoner chez moi ce soir.
9. ...... *(dire)* que vous allez quitter la France.
10. ...... *(appeler)* dans l'escalier, qui est-ce ?

2. Répondez à la question :

A/

Y a-t-il quelqu'un à la maison ?
→ *Oui, il y a **quelqu'un.***
→ *Non, il **n'**y a **personne**.*

1. Y a-t-il quelqu'un à la fenêtre ?
2. Est-ce que vous attendez quelqu'un ?
3. Est-ce que tu penses à quelqu'un ?
4. Est-ce qu'il parle à quelqu'un ?
5. Est-ce que vous connaissez quelqu'un à Paris ?

B/

Est-ce que quelqu'un est à la porte ?
→ *Non, **personne n'**est à la porte.*

1. Est-ce que quelqu'un vient de téléphoner ?
2. Est-ce que quelqu'un est blessé ?
3. Est-ce que quelqu'un peut répondre ?
4. Est-ce que quelqu'un vient dîner ce soir ?
5. Est-ce que quelqu'un veut parler ?

C/ Imitez le modèle et faites une phrase négative :

Il est indépendant. Il *(avoir besoin de)* ......
→ *Il est indépendant. Il n'a besoin de personne.*

1. Il est timide. Il *(parler à)* ......
2. Je suis malade. Je *(recevoir)* ......
3. Vous êtes fort. Vous *(craindre)* ......
4. Elle est égoïste. Elle *(aimer)* ......
5. Il est original. Il *(ressembler à)* ......

3. Répondez à la question :

A/

Avez-vous quelque chose à dire ?
→ *Oui, j'ai **quelque chose** à dire.*
→ *Non, je **n'ai rien** à dire.*

1. Avez-vous quelque chose à déclarer ?
2. Ont-ils quelque chose à faire ?
3. Y a-t-il quelque chose dans ton sac ?
4. Comprenez-vous quelque chose à ce discours ?
5. Est-ce qu'il manque quelque chose sur la table ?

B/

Est-ce que quelque chose est drôle dans ce livre ?
→ *Non, **rien n'**est drôle.*

1. Est-ce que quelque chose est vrai dans cette histoire ?
2. Est-ce que quelque chose vaut moins de 1 000 francs ici ?
3. Est-ce que, dans sa situation, quelque chose peut changer ?
4. Est-ce que quelque chose vient d'arriver ?
5. Est-ce que quelque chose est prévu pour demain ?

4. Répondez aux questions en imitant le modèle :

A/

Que dis-tu ?
→ ***Rien**, je **ne** dis **rien** du tout.*

1. Que fais-tu ?
2. Tu as l'air malade, qu'est-ce que tu as ?
3. Ce bruit, qu'est-ce que c'est ?
4. Qu'est-ce que tu vois ?
5. Qu'est-ce que tu comprends à cette phrase ?

B/

À quoi sert cet instrument ?
→ ***À rien**, il **ne** sert **à rien**.*

1. À quoi penses-tu ?
2. De quoi ont-ils besoin ?
3. De quoi parlez-vous ?
4. De quoi est-il capable ?
5. De quoi as-tu envie ?

***C/**

Il est pauvre – Il (*avoir*) ......
→ *Il est pauvre. Il **n'a pas grand chose**.*

1. Il est silencieux – Il *(dire)* ......
2. Il est courageux – Il *(craindre)* ......
3. Elle est maigre – Elle *(manger)* ......
4. Tu es sobre – Tu *(boire)* ......
5. Il n'est pas curieux – Il *(demander)* ......

5.

A/ Mettez à la forme négative :

Dit-il **quelque chose** de vrai ?
→ *Non, il **ne** dit **rien de** vrai.*

1. Y a t-il quelque chose de nouveau ?
2. Avez-vous quelque chose d'important à dire ?
3. Est-ce que tu remarques quelque chose de spécial sur cette photo ?
4. Est-ce que je dis quelque chose de stupide ?
5. Est-ce qu'on joue quelque chose d'intéressant au théâtre en ce moment ?

B/ Mettez à la forme affirmative :

Je **ne** sais **rien de** nouveau.
→ *Je sais **quelque chose de** nouveau.*

1. Elle ne peint rien de beau.
2. Il n'y a rien d'extraordinaire dans cette histoire.
3. Elle ne prépare rien de bon pour le dîner.
4. Je ne connais rien d'efficace contre la grippe.
5. Tu ne fais rien d'amusant.

C/ Trouvez l'adjectif adapté à chaque phrase :

1. Ce banquier est quelqu'un de ......
2. Charlie Chaplin est quelqu'un de ......
3. Cette femme est quelqu'un de ......
4. J'ai peur de cet homme. C'est quelqu'un de ......
5. Je ne connais personne de ......

6. Choisir entre quelqu'un, quelque chose, rien, personne, pas grand chose :

1. Connais-tu ...... de gentil ?
2. Laurent est ...... de très sportif.
3. Il n'y a ...... de passionnant dans ce journal.
4. Nous recherchons ...... de grand et de musclé.
5. Elle vient d'acheter ...... de chic.
6. Dans ce bureau de poste, il n'y a ...... d'aimable.
7. Je ne sais ...... de nouveau, et toi ?
8. Jennifer est ...... de timide.
9. Je ne connais ...... de célèbre.
10. Y a-t-il ...... de bon dans ce restaurant ?

7. Répondez à la forme négative :

Ce jeune homme a-t-il des diplômes ?
→ *Non,* ***aucun****, il* ***n'a aucun*** *diplôme.*

1. As-tu des problèmes en ce moment ?
2. Est-ce qu'il y a plusieurs trains pour Chambéry ce matin ?
3. Cet acteur a-t-il du talent ?
4. As-tu beaucoup de mémoire ?
5. Avez-vous de la patience avec les enfants ?
6. As-tu une cigarette blonde ?
7. Avez-vous des projets pour les vacances ?
8. Tes amis ont-ils des chats chez eux ?
9. Est-ce que tu vas écrire une lettre ?
10. Est-ce que vous voyez une station de métro par ici ?

8. Mettez au pluriel en imitant le modèle :

A/

Il achète *un cadeau* pour ses amis.
→ *Il achète* ***quelques*** *cadeaux pour ses amis.*

1. Il y a *un journal* par terre.
2. As-tu *un ami* en France ?
3. Il reste *une place* pour ce concert.
4. Elle a fait *une proposition* pendant la réunion.
5. Il faut *une minute* pour aller chez toi.

B/

Il parle *une langue étrangère.*
→ *Il parle* ***plusieurs*** *langues étrangères.*

1. Il se réveille *une fois* par nuit.
2. Il y a *un client* dans le magasin.
3. Elle va rester *un mois* en France.
4. Il travaille *un jour* par semaine chez lui.
5. Avez-vous *un livre* de cet écrivain ?

C/

...... films et ...... pièces sont très connus.
→ ***Certains*** *films et* ***certaines*** *pièces sont très connus.*

1. ...... parfums sentent très bon.
2. Parmi tes amis, ... semblent étranges.
3. Il y a ...... moments difficiles dans la vie.
4. ...... villes sont très polluées.
5. ...... actrices sont belles mais jouent mal.

9. Imitez le modèle en utilisant la plupart de. **Accordez les verbes :**

...... les fruits *(être)* sucrés.
→ ***La plupart des** fruits **sont** sucrés.*

1. ...... les gens *(avoir)* des soucis financiers.
2. ...... les étudiants *(travailler)* beaucoup.
3. ...... les capitales *(être)* surpeuplées.
4. ...... les sportifs *(ne pas fumer).*
5. ...... le temps, à Paris, le métro *(être)* plein de monde.

10. Complétez les phrases en imitant le modèle :

J'ai beaucoup d'amis. ...... m'écrivent souvent.
→ *J'ai beaucoup d'amis. **Quelques-uns** m'écrivent souvent.*

1. Il y a beaucoup de tableaux au Louvre. ...... sont très célèbres.
2. Regarde ces vitrines, ... sont pleines de bijoux.
3. J'aime ces tapisseries. ...... semblent très anciennes.
4. Parmi les tableaux du musée d'Orsay, ... sont d'Edouard Manet.
5. Tu cherches les sculptures grecques. ...... sont exposées au premier étage.

11.

A/ Répondez à la forme négative :

Est-ce que ce chemin mène **quelque part** ?
→ *Non, il **ne** mène **nulle part**.*

1. Est-ce qu'il neige quelque part ?
2. Est-ce que, pendant les vacances, tu vas quelque part ?
3. Mes clés sont-elles quelque part ?
4. Peux-tu trouver ce livre rare quelque part ?
5. Ce soir, allez-vous dîner quelque part ?

B/ Choisissez entre : ailleurs, quelque part, ne ...... nulle part.

1. Toi, tu vas à Londres, moi, je vais ......
2. Il ne part pas en voyage. Il ...... veut aller ......
3. Je cherche l'ouvre-bouteille. Il est sûrement ......
4. Il ne veut plus vivre ici. Il va habiter ......
5. J'ai perdu mon portefeuille ......, je ne sais pas où.

12.

A/ Introduisez l'adjectif chaque **dans les phrases :**

1. Dans un concert, le public applaudit après ...... morceau.
2. Dans un avion, ... voyageur a sa place numérotée.
3. Il joue aux échecs avec son père et ...... fois il gagne.
4. À ...... arrêt, l'autobus ouvre ses portières.
5. J'attends un ami, je regarde ma montre à ...... instant.

B/ Terminez la phrase :

1. Chaque matin, ...
2. Chaque soir, ...
3. Chaque jour, ...
4. Chaque semaine, ...
5. Chaque mois, ...

13.

A/ Complétez les phrases avec le pronom chacun **ou** chacune :

1. Le soir, ... rentre chez soi.
2. ...... est responsable de ses actes.
3. Vous avez trois filles, ... a son charme.
4. Dans une vraie discussion, ... peut donner son avis.
5. Regardez ces assiettes anciennes, ... est différente.

B/ Mettez chacun **ou** chacune **dans les phrases suivantes :**

1. Dans ...... de ses phrases, il corrige une faute.
2. Il t'offre des fleurs à ...... de ses visites.
3. ...... de nous a ses difficultés.
4. Où sont les enfants ? J'ai une surprise pour ...... d'entre eux.
5. Le gardien distribue le courrier à ...... des locataires.

14.

A/ Écrivez la phrase en introduisant un autre **ou** une autre :

1. Veux-tu boire ...... café ?
2. Pouvez-vous donner ...... réponse ?
3. Je dois chercher ...... solution à ce problème.
4. Il vient d'acheter ...... appartement.
5. Je veux lire ...... livre, celui-ci n'est pas intéressant.

B/ Mettez au pluriel un autre **ou** une autre **et accordez le nom :**

Je cherche une autre idée.
→ *Je cherche **d'autres** idées.*

1. J'ai une autre nouvelle à annoncer.
2. Cet architecte construit un autre immeuble.
3. Cette entreprise propose un autre produit.
4. Je voudrais essayer un autre pantalon.
5. As-tu besoin d'un autre renseignement ?

C/ Mettez l'autre **ou** les autres **après la préposition** de :

Elle aime ce chien, mais elle a peur de ......
→ *Elle aime ce chien, mais elle a peur **des autres**.*

1. Il ne parle jamais de sa fille aînée, il parle toujours de ......
2. Ne t'occupe pas des problèmes de ......
3. As-tu besoin de mes deux dictionnaires ? Non, garde celui-ci, j'ai besoin de ......
4. Je ne veux pas acheter ces chaussures-ci, mais j'ai très envie de ......
5. Elle n'écoute jamais les conseils de ......

***D/ Mettez les phrases au pluriel :**

1. Elle apporte une autre tarte et un autre gâteau.
2. Toi, tu prends cette voiture, moi, je monte dans l'autre.
3. Elle a une amie à Lille et une autre à Calais.
4. Y a-t-il un autre film à voir ?
5. La porte de cet immeuble est bien fermée, mais pas celle de l'autre.
6. Veux-tu un autre fruit ?
7. Il va lire un autre roman.
8. J'ai ma valise, mais où est l'autre ?
9. As-tu une autre idée ?

10. Je ne me souviens plus du nom de l'autre invité.
11. Est-ce qu'il va trouver une autre solution ?
12. Comment trouves-tu le discours de l'autre candidat ?
13. Est-ce que tu peux fixer une autre date pour ce rendez-vous ?
14. Je veux acheter un autre billet.
15. Qu'est-ce que tu penses de l'article de l'autre journaliste ?

15.

A/ Complétez les phrases en introduisant l'un **......** l'autre **ou** l'une **......** l'autre **:**

1. Je visite deux studios : ...... est clair, ... est sombre.
2. À ce problème, je propose deux solutions : ...... est simple, ... est compliquée.
3. Dans cet hôtel, il y a deux restaurants : ...... est chic et cher, ... est moins élégant mais bon marché.
4. John a deux petites amies, mais il préfère ...... à ......
5. Voici deux frères : ...... ressemble beaucoup à ......

B/ Inventez la suite de la phrase en utilisant les uns, les autres **ou** les unes, les autres **:**

*Il a des disques : **les uns** sont classiques, **les autres** sont modernes.*

1. Tu achètes plusieurs livres : ......
2. Ces filles se ressemblent un peu mais ......
3. Ces enfants sont de pays différents : ......
4. Où sont tes amis ? ......
5. Jacques a beaucoup d'idées : ......

***C/ Accordez le verbe avec le sujet :**

1. L'un *(dire)* oui, l'autre *(dire)* non, les deux *(répondre)*.
2. L'un et l'autre *(ne pas pouvoir)* supporter le bruit.
3. Ils ne (venir) ni l'un ni l'autre à cette soirée.
4. Tu peux acheter l'un ou l'autre, les deux te *(aller)*.
5. Ils *(être)* jaloux l'un de l'autre.

***D/ Inventez les réponses en utilisant** quelques-uns **et** d'autres **:**

Comment sont ces films ?
→ ***Quelques-uns** sont bons, **d'autres** sont médiocres.*

1. Où vivent tes amis ?
2. Où passent-ils leurs vacances ?
3. Que montrent ces affiches ?
4. Comment sont ces maisons ?
5. Que regardent ces enfants ?

***16.**

A/ Choisissez une des expressions : autre chose, autre part.

Il n'est pas là, il doit être ......
→ *Il n'est pas là, il doit être **autre part**.*

1. Tu n'aimes pas cela. Choisis ......
2. Il a très envie d'aller ...... en vacances.
3. Avez-vous besoin d'...... pour faire ce gâteau ?

4. Il est inconnu à l'adresse indiquée. Il habite ......
5. Il n'écoute pas. Il pense à ......

***B/ Donnez une réponse négative :**

Veux-tu boire quelque chose d'autre ?
→ *Non, je ne veux rien boire d'autre.*

1. Est-ce que tu veux ajouter quelque chose d'autre ?
2. Vas-tu téléphoner à quelqu'un d'autre ?
3. As-tu quelque chose d'autre à dire ?
4. A-t-elle besoin de quelque chose d'autre ?
5. Faut-il prévenir quelqu'un d'autre ?

17. Accordez l'adjectif tout, toute, tous, toutes **avec le nom :**

A/

Il travaille ...... la soirée.
→ *Il travaille **toute** la soirée.*

1. Il travaille ...... la journée et rentre ...... les soirs à huit heures.
2. ...... les samedis, il prend sa voiture, mais il ne conduit pas ...... les jours de la semaine.
3. Dans cette discothèque, ... le monde doit prendre une consommation.
4. Il revient en Europe ...... les dix ans et il y reste ...... une année.
5. ...... la ville parle de l'arrivée du prince.
6. ...... les choses que tu apprends sont utiles.
7. Le 14 juillet, dans ...... les quartiers, il y a un bal.
8. Est-ce que tu connais ...... les femmes de ce petit village ?
9. Ce chauffeur de taxi travaille ...... la nuit.
10. Dans ce bureau, le téléphone sonne ...... le temps.

B/

Il a emprunté ...... mes livres et ... ces revues.
→ *Il a emprunté **tous** mes livres et **toutes** ces revues.*

1. Tu connais ...... mes défauts et je découvre ...... tes qualités.
2. Elle parle facilement de ...... ses problèmes.
3. ...... nos amis viennent dîner ce soir.
4. Posez ...... vos valises et comptez ...... vos sacs.
5. Je ne peux pas répondre à ...... tes questions.
6. Il ne connaît pas ...... cette région, et il veut faire ...... ce voyage en cinq jours.
7. ...... cet immeuble est à vendre.
8. ...... ce travail est à recommencer.
9. ...... ces dessins animés plaisent aux enfants.
10. Devant ...... ces phrases difficiles, il hésite.

***18. Dans ces expressions idiomatiques, accordez l'adjectif** tout **en imitant le modèle :**

Il parle à ...... vitesse.
→ *Il parle à **toute** vitesse.*

1. Elle conduit sa voiture *à ...... allure.*
2. *De ...... façon*, il refuse de répondre.
3. *En ...... cas*, je vais revenir demain.
4. L'enfant s'enfuit à ...... *jambes.*
5. Il y a ...... *sortes de* gens ici.

19. Complétez avec un des pronoms : tout, tous, toutes.

A/ ...... va bien à bord du bateau.
→ ***Tout** va bien à bord du bateau.*

1. Est-ce que ...... est à refaire dans cette maison ?
2. Jean trouve ...... facile dans cet exercice.
3. ...... est en solde dans ce magasin.
4. Il parle de ......, mais il ne pense pas à ......
5. À Tokyo, on dit souvent : « ... est cher ici ».

B/ Est-ce que tous tes amis sont étudiants ?
→ *Oui, **ils** sont **tous** étudiants.*
→ *Oui, **tous** sont étudiants.*

1. Est-ce que toutes tes amies sont françaises ?
2. Est-ce que toutes ces lettres sont timbrées ?
3. Est-ce que tous ces livres sont pour nous ?
4. Est-ce que tous les enfants viennent au cinéma ce soir ?
5. Est-ce que tous ces gens vont voter ?

20. Complétez avec un des adverbes : tout, toute, toutes.

A/ Le ciel est ...... bleu, les arbres sont ...... verts.
→ *Le ciel est **tout** bleu, les arbres sont **tout** verts.*

1. Chez moi, les murs sont ...... blancs et les fauteuils sont ...... bleus.
2. Cet immeuble est ...... neuf et ...... propre.
3. Ce matin, les nuages sont ...... noirs, le ciel est ...... gris.
4. Jean est ...... joyeux et ...... excité de partir en voyage.
5. Les chatons semblent ......petits quand ils sont ...... jeunes.

***B/** Sophie est ...... contente et ...... étonnée de son succès.
→ *Sophie est **toute** contente et **tout(e)** étonnée de son succès.*

1. Sa sœur est ...... heureuse et ...... émue.
2. Dans cette phrase ...... entière, il n'y a qu'une ...... petite difficulté.
3. Emma est ...... seule dans une maison ...... éclairée.
4. Voilà des phrases ...... faites. Elles sont ...... simples.
5. Quand ces fillettes sont ...... nues, elle paraissent ...... minces.

21. Écrivez correctement le mot tout **:**

1. Dans la vie, il a ...... les chances.
2. Je ne suis pas pressé, j'ai ...... mon temps.
3. Cet enfant est ...... blond, mais sa sœur est ...... rousse.
4. Je vous embrasse ...... les deux bien fort.
5. Il parle ...... bas, mais j'entends......
6. Ils s'aiment, ... le reste n'a aucune importance.
7. Est-ce que tu as ...... compris ?
8. Il passe ...... ses matinées à lire dans son lit.
9. Dans cette exposition, j'ai ...... regardé, mais je n'ai pas ...... aimé.
10. On voit des policiers dans ...... les rues.
11. ...... les étés, vous passez ...... vos vacances au Portugal.
12. Il a les yeux ...... noirs et les cheveux ...... blonds.
13. Il vient de perdre ...... son argent au casino.

14. ...... leurs amis vont partir. Ils sont ...... tristes.
15. Il va porter des lunettes ...... sa vie.

22. Complétez les phrases suivantes avec le même, la même **ou** les mêmes **:**

1. Alain, vous ne changez pas, vous êtes toujours ......
2. Vous habitez tous les deux ...... ville et ...... quartier.
3. Ils sont tous dans ...... situation, ils ont ...... problèmes.
4. Il donne toujours ...... explications.
5. Nous n'avons pas ...... goûts, mais nous avons souvent ...... idées.
6. C'est toujours ...... chose ; ...... questions entraînent ...... réponses.
7. Il écoute tout le temps ...... chanson.
8. Ils prennent leurs vacances à ...... endroit et à ...... date.
9. À ...... moment, ils viennent de penser à ...... solution.
10. Il ne répète jamais deux fois ...... phrases.

***23.**

A/ Donnez le contraire de la phrase :

1. Le pianiste salue, personne n'applaudit.
2. Elle ne comprend rien, elle ne répond rien.
3. Il ne voit cette fille nulle part.
4. Vous ne buvez rien.
5. Est-ce que tout le monde est gentil avec vous ?
6. Elle n'oublie jamais rien.
7. Nous ne nous disons rien.
8. Est-ce que personne ne peut répondre ?
9. Est-ce qu'elle sait quelque chose ?
10. Personne ne va venir.

B/ Remplacez les pointillés par un adjectif ou un pronom indéfini :

Au café

Le café est plein. ...... peut voir des gens de ...... les âges, de ...... les nationalités, mais il n'y a ...... enfant.

...... jeunes gens bavardent, ... discutent très fort, ... parlent à voix basse. Ils ont ...... quelque chose d'intéressant à dire. ...... fument. ...... hommes âgés sont assis dehors. ...... rappellent leurs souvenirs du temps passé, ... regardent les passants.

Les garçons vont d'une table à ...... et apportent à ...... la boisson commandée. De nombreux clients prennent des boissons fraîches ; ...... des jeunes gens boivent du café. Parfois, ... se lève et sort. ...... ne fait attention au bruit, à la fumée, à la musique ; ...... est heureux de retrouver ses amis et de discuter des dernières nouvelles.

...... n'égale l'ambiance animée et chaleureuse d'un café ; ...... ne peut trouver cette atmosphère ...... ailleurs.

C/ Inventez une histoire sur le modèle du texte précédent en utilisant des indéfinis.

N.B. Voir aussi le chapitre 20 sur les pronoms personnels.

Le futur de l'indicatif

1.	Verbes **être** et **avoir**
2.	Verbes du premier groupe
3.4.5.6.7.	Verbes du deuxième et du troisième groupes, et verbes irréguliers
8.9.	Emploi. Futur et futur proche
10.11.12.	Révision

1.

A/ Écrivez la bonne terminaison :

Être : Je ser...
Tu ser...
Il ser...
Nous ser...
Vous ser...
Ils ser...

Avoir : J'aur...
Tu aur...
Il aur...
Nous aur...
Vous aur...
Ils aur...

B/ Écrivez au futur :

1. Nous *(être)* en vacances demain.
2. Nous *(avoir)* besoin de prendre l'air.
3. Vous *(être)* contents de faire du sport.
4. Tu *(avoir)* de nouveaux amis.
5. Vous *(avoir)* beaucoup de soirées agréables.
6. Je *(avoir)* le temps de lire, et je *(être)* tranquille.
7. Il y *(avoir)* toute la famille, et ce *(ne pas être)* triste.
8. Les enfants *(ne pas avoir)* envie de rentrer.
9. Ils *(être)* en pleine forme.
10. Tu *(être)* heureux de ces vacances inoubliables.

2. Écrivez au futur à la personne indiquée :

A/

(parler) Je parler...
→ *Je parlerai.*

(regarder) Tu regarder...
(chanter) Il chanter...

(avancer) Nous avancer...
(partager) Vous partager...
(entrer) Ils entrer...

B/ *(étudier)* Tu ......
→ *Tu étudieras.*

(oublier) Je ......
(copier) Vous ......
(jouer) Elle ......
(diminuer) Ils ......
(louer) Nous ......

C/ *(ennuyer)* Ils ......
→ *Ils ennuieront.*

(payer) On ......
(essayer) Nous ......
(appuyer) Vous ......
(essuyer) Tu ......
(nettoyer) Je ......

D/ *(posséder)* Il ......
→ *Il possèdera.*

(espérer) Tu ......
(répéter) Vous ......
(pénétrer) Je ......
(régler) Nous ......
(exagérer) Ils ......

E/ *(lever)* Nous ......
→ *Nous lèverons.*

(peser) Vous ......
(promener) Tu ......
(soulever) Je ......
(emmener) On ......
(enlever) Ils ......

F/ *(geler)* Nous ......
→ *Nous gèlerons.*

(acheter) Vous ......
(racheter) Elle ......
(peler) Je ......
(congeler) Tu ......
(dégeler) Ils ......

G/ *(jeter)* Vous ......
→ *Vous jetterez.*

(rejeter) Je ......
(appeler) Il ......
(projeter) Tu ......
(feuilleter) Elles ......
(rappeler) Nous ......

H/ Écrivez au futur :

1. Pascal *(répéter)* les chansons de son spectacle.
2. Ils *(commencer)* joyeusement la nouvelle année.
3. Tu *(jeter)* ces vieilles chaussures.
4. Elles *(nettoyer)* le sol du gymnase.
5. Je *(peser)* la farine et le sucre.
6. Nous *(payer)* la facture d'électricité à la fin du mois.
7. Ce vieux monsieur *(appeler)* son chien.
8. Tu *(ne pas oublier)* tes gants.
9. Valentine *(acheter)* un joli chapeau pour ton mariage.
10. Est-ce que vous *(changer)* un jour de quartier ?

3.

A/ Mettez au futur selon le modèle :

(finir) Je ......
→ *Je finirai.*

(remplir) Elle ......
(réunir) Vous ......
(grandir) Tu ......
(réfléchir) Nous ......
(réussir) Elles ......
(partir) Nous ......
(servir) Il ......
(dormir) Ils ......
(offrir) Vous ......
(ouvrir) Tu ......

B/ Écrivez l'infinitif du verbe, puis mettez la phrase au futur :

Vous partez en Inde le mois prochain.
→ ***Partir**. Vous **partirez** en Inde le mois prochain.*

1. Nous réfléchissons à votre proposition.
2. Je dors bien après mon examen.
3. Après la réunion, vous ouvrez les fenêtres, s'il vous plaît.
4. Il réussit certainement la traversée de la Manche à la nage.
5. Tu offres des fleurs à ta femme pour sa fête.
6. Cet enfant ne grandit plus.
7. Les garçons de café servent les clients dehors.
8. Les jeunes filles réunissent leurs amis avant leur départ.
9. À quelle heure sors-tu du bureau vendredi ?
10. Avec ce médicament, je ne sens plus la douleur.

4. Mettez au futur selon le modèle :

(lire) Nous ......
→ *Nous lirons.*

A/ *(dire)* Je ......
(construire) Tu ......
(traduire) Il ......
(vivre) Vous ......
(suivre) Ils ......

B/ *(mettre)* Nous ......
(battre) Elles ......
(connaître) Tu ......
(croire) Je ......
(plaire) Il ......

C/ *(perdre)* Ils ......
(prendre) Elle ......
(rendre) Tu ......
(répondre) Je ......
(mordre) Nous ......

D/ *(craindre)* Je ......
(peindre) Nous ......
(plaindre) Tu ......
(éteindre) Vous ......
(rejoindre) Ils ......

5. Écrivez l'infinitif des verbes, puis mettez les phrases au futur :

Nous écrivons à nos parents chaque semaine.
→ ***Écrire****. Nous* ***écrirons*** *à nos parents chaque semaine.*

1. Ce soir, ils boivent beaucoup de bière.
2. Je remets ce manteau au début de l'hiver.
3. Tu construis un beau château de sable.
4. Les clowns apparaissent tout à coup sur la scène.
5. À Hong-Kong, Monique craint énormément la chaleur.
6. Vous reprenez votre souffle après quelques minutes.
7. Ils rejoignent leurs amis à Rome.
8. Nous traduisons des romans.
9. Vous vivez d'amour et d'eau fraîche.
10. Je ne crois plus cet homme politique.

6.

A/ Mettez la bonne terminaison en suivant le modèle :

(recevoir) Je recev...
→ *Je recevrai.*

(recevoir) Nous recev...
(devoir) Ils dev...
(pleuvoir) Il pleuv...
(apercevoir) Vous apercev...
(décevoir) Tu décev...

B/ Écrivez au futur :

1. Ils *(ne pas décevoir)* leurs parents.
2. Est-ce que vous *(devoir)* travailler aussi le samedi ?
3. Tu *(apercevoir)* le toit de ma maison du haut de la colline.
4. Il *(pleuvoir)* sans doute dans la journée.
5. Nous *(recevoir)* une convocation ces jours-ci.

C/ Écrivez la fin du verbe en imitant le modèle :

(venir) Je vien...
→ *Je viendrai.*

(revenir) Tu revien...
(tenir) Ils tien......
(falloir) Il fau...
(vouloir) Nous vou...
(valoir) Cela vau...

D/ Écrivez au futur :

1. Pendant ce week-end, il *(falloir)* éviter les grandes routes.
2. Je *(ne pas tenir)* ma promesse, c'est impossible.
3. Cet été, vous *(vouloir)* passer trois jours à Venise.
4. Le jour de l'examen, il *(valoir)* mieux être en forme.
5. Les peintres *(venir)*-ils bientôt refaire l'appartement ?

7.

A/ Écrivez la fin du verbe en imitant le modèle :

(voir) Je ve...
→ *Je verrai.*

(revoir) Tu reve...
(envoyer) Il enve...
(pouvoir) Nous pou...
(courir) Vous cou...
(mourir) Ils mou...

B/ Écrivez au futur :

1. Tu *(envoyer)* des roses à ton amie.
2. Guillaume *(courir)* avertir les voisins.
3. Nous *(mourir)* tous un jour.
4. Les locataires *(ne pas pouvoir)* utiliser le téléphone.
5. À Noël, est-ce que vous *(revoir)* tous vos amis ?

C/ Écrivez au futur, en mettant le sujet proposé :

1. Aller au théâtre *(nous)*.
2. Faire du cinéma *(tu)*.
3. Savoir son texte par cœur *(l'acteur)*.
4. Cueillir des fleurs des champs *(elles)*.
5. Ne pas faire de bruit *(vous)*.

D/ Écrivez au futur :

1. On ne *(savoir)* jamais la vérité sur cette affaire.
2. Comme chaque année, vous *(cueillir)* les cerises en juin.
3. Est-ce que vous *(faire)* des plantations dans votre jardin ?
4. Personne ne *(aller)* ramasser de champignons.
5. Il pleut trop, les pêcheurs *(ne pas aller)* à la pêche.

8. Écrivez l'infinitif du verbe, puis mettez la phrase au futur :

Pour les vacances, je vais dans ma famille.
→ ***Aller**. Pour les vacances, j'**irai** dans ma famille.*

1. Vous recevez cette jeune fille chez vous pour un mois.
2. Je ne peux pas oublier son sourire.
3. Nous ne savons jamais cette règle de grammaire.
4. Tu envoies ce paquet par avion.
5. Elles veulent tout visiter.
6. Ils viennent réparer la machine à laver mardi prochain.
7. À Madrid, je ne vois plus mes amis français.
8. Serge fait son service militaire dans la marine.
9. Est-ce que vous allez en Écosse cet été ?
10. Au printemps, Julie court tous les matins dans le parc.

9. Mettez dans la case la lettre correspondant à la valeur du futur de la phrase :

A. *Événement à venir.*
B. *Ordre, conseil.*

☐ 1. Mon frère aura quinze ans dans quinze jours.
☐ 2. Avant ton départ au Brésil, tu laisseras ton adresse.
☐ 3. Tu achèteras du pain, s'il te plaît.
☐ 4. Nous ferons la connaissance de Bruno samedi prochain.
☐ 5. Pour votre inscription, vous apporterez vos papiers d'identité.
☐ 6. On démolira certainement cette vieille maison.
☐ 7. Tu écriras souvent pendant ton séjour en Grèce.
☐ 8. Vous prendrez ce médicament trois fois par jour.
☐ 9. Mesdames et Messieurs, nous atterrirons dans vingt minutes.
☐ 10. Vous ne porterez vos lunettes que devant la télévision.

10. Mettez le verbe entre parenthèses au futur simple ou au futur proche selon le sens :

Le magasin *(ouvrir)* dans cinq minutes.
→ *Le magasin* ***va ouvrir*** *dans cinq minutes.*
À l'avenir, le magasin *(ouvrir)* de 9 h à 22 h.
→ *À l'avenir, le magasin* ***ouvrira*** *de 9 h à 22 h.*

1. L'avion *(décoller)* d'une minute à l'autre.
   Malgré le mauvais temps, tous les avions *(décoller)* comme prévu.
2. Ils *(partir)* bientôt en voyage d'études.
   C'est décidé ! Nous *(aller)* en Norvège l'été prochain.
3. « Tu *(ne pas épouser)* ce garçon ! » dit le père à sa fille.
   Ils *(se marier)* dans huit jours.

11.

A/ Mettez au futur les verbes entre parenthèses :

Vendredi prochain, on *(célébrer)* mon anniversaire. Je *(inviter)* tous mes amis, nous *(être)* peut-être une trentaine. Nous *(manger)* ensemble, nous *(danser)*, nous *(rire)*, nous *(pouvoir)* faire la fête jusqu'au lendemain matin.

Il *(falloir)* tout bien préparer. Nous ne *(oublier)* rien. Mes meilleurs amis *(venir)* un peu avant. D'abord nous *(devoir)* faire le ménage. Certains *(laver)* les carreaux des fenêtres, d'autres *(balayer)* ou *(essuyer)* les meubles, nous *(nettoyer)* tout. Ensuite, nous *(enlever)* ou nous *(déplacer)* les objets fragiles, et nous *(décorer)* les pièces.

Il y *(avoir)* aussi un bon repas. Chacun *(apporter)* quelque chose de différent. Je *(faire)* un grand gâteau d'anniversaire, et je *(mettre)* vingt bougies dessus.

À minuit, on *(éteindre)* les lumières, le gâteau *(apparaître)* dans l'ombre avec ses vingt bougies éclairées ; je *(souffler)* très fort et mes amis *(chanter)* : « Joyeux anniversaire ! » Je *(embrasser)* tout le monde, on *(ouvrir)* des bouteilles de champagne, on *(remplir)* les coupes et on *(boire)* à ma santé. Personne ne *(vouloir)* repartir avant le lever du soleil !

B/ Imaginez une belle fête (de Noël, par exemple), en employant des verbes au futur.

C/ Écrivez cette lettre au futur :

Ma chère Véronique,

Voici le chemin pour venir dîner chez moi lundi.

Tu prends le RER à la station X. Tu changes à la station Y, et tu continues par la ligne n° 4, direction Z. Il faut descendre à la station A. Tu sors boulevard B, du côté des numéros impairs, et tu dois suivre ce boulevard jusqu'au premier carrefour. Là, tu tournes à droite, tu longes un hôpital, puis tu traverses deux rues. Ensuite, tu vois un marchand de meubles sur ta gauche, et tu aperçois une pharmacie au coin d'une petite rue. Tu entres dans l'immeuble à côté de cette pharmacie, puis tu appelles par l'interphone.

À lundi !

Marine

D/ **Vous indiquerez à un ami le chemin à prendre pour aller chez vous, en employant des verbes au futur.**

12.

A/ Petite annonce. **Écrivez au futur cette offre d'emploi en choisissant, parmi les verbes proposés, celui qui convient au sens :**
aimer – avoir – connaître – devoir – diriger – être – parler – recevoir – savoir – travailler.

Société de Presse
recherche
son responsable des relations
avec la clientèle.

Ce responsable :
1. ...... dynamique et ...... à plein temps.
2. ...... avoir entre 25 et 36 ans, ... le contact avec les clients et ...... plusieurs langues.
3. ...... le sens de l'organisation et ...... prendre des responsabilités.
4. ...... un service de quinze personnes et ...... bien la gestion.
5. ...... un bon salaire.

Envoyer lettre + curriculum vitae + photo à M. Machin, 5 rue Sans-Nom, 75003 Paris.

B/ Le temps demain. **Écrivez au futur un bulletin météorologique, en choisissant parmi les éléments suivants :**
- demain, après-demain, pendant le week-end.
- le matin, en milieu de journée, l'après-midi, toute la journée.
- au Nord, au Sud, à l'Est, à l'Ouest.
- très, assez, légèrement.
- le soleil *(briller)*.
- *(faire)* un temps ensoleillé, nuageux.
- le temps *(être)* gris, couvert, pluvieux, orageux, variable.
- *(faire)* beau, chaud, froid, frais, doux, lourd.
- *(pleuvoir)*, y *(avoir)* des averses, *(tomber)* de la grêle, *(neiger)*.
- y *(avoir)* de la brume, du brouillard, du verglas.
- un vent faible, modéré, fort, violent *(souffler)*.
- des orages *(éclater)* sur les montagnes.
- y *(avoir)* de la tempête sur les côtes et en mer.
- la température *(baisser, descendre, être en hausse, monter, rester stable)*.

C/ L'avenir. **Vous allez chez une voyante pour connaître votre avenir. Que vous dit-elle ? Écrivez cette prédiction au futur.**

14 L'imparfait de l'indicatif

1.

A/ Écrivez la bonne terminaison :

Être : J'ét...
Tu ét...
Il ét...
Nous ét...
Vous ét...
Ils ét...

Avoir : J'av...
Tu av...
Il av...
Nous av...
Vous av...
Ils av...

B/ Mettez le verbe à l'imparfait :

1. Tu *(avoir)* une grande maison.
2. Nous *(être)* très contents de te revoir.
3. Ils *(être)* en Italie l'été dernier.
4. Vous *(avoir)* beaucoup de plantes sur votre balcon.
5. Je *(avoir)* envie d'un nouveau sac.
6. Tu *(être)* désolé de ne pas faire ce voyage.

7. Elle *(avoir)* peur d'être en retard.
8. Nous *(être)* tristes de partir.
9. Je ne *(avoir)* pas très faim.
10. Elles *(être)* en Bretagne.

2.

A/ Écrivez la bonne terminaison :

Parler : Je parl...
Tu parl...
Il parl...
Nous parl...
Vous parl...
Ils parl...

B/ Formez l'imparfait à partir de la première personne du pluriel du présent :

(jeter) Présent : *Je jette, nous jetons.*
Imparfait : *Je jetais, nous jetions.*

(projeter) Je, nous.
(espérer) Je, nous.
(geler) Je, nous.
(acheter) Je, nous.
(emmener) Je, nous.
(appeler) Je, nous.

C/ Mettez les verbes à l'imparfait :

1. Tu *(écouter)* de la musique et je *(regarder)* la télévision.
2. Julien *(jouer)* aux échecs avec Éric et tous les deux *(espérer)* gagner.
3. Le samedi, nous *(aller)* au club et nous *(jouer)* au tennis.
4. Tu *(garder)* beaucoup de choses ; je *(jeter)* tout.
5. Nous *(posséder)* un petit bateau et nous *(rêver)* d'un grand bateau.
6. Lucien *(chercher)* ses papiers dans son tiroir.
7. Les Duval *(dîner)* souvent au restaurant, mais ils *(déjeuner)* toujours chez eux.
8. Elle se *(promener)* ; elle *(marcher)* en silence.
9. Vous *(passer)* de longs moments à bavarder.
10. Je *(chanter)* souvent de vieilles chansons.

3. Mettez le verbe à l'imparfait à la personne indiquée :

A/ *(placer)* Présent : *Je place, nous plaçons.*
Imparfait : *Je plaçais, nous placions.*

(commencer) Je ......
(placer) Tu ......
(annoncer) Il ......
(recommencer) Nous ......
(lancer) Vous ......
(prononcer) Ils ......

B/ *(nager)* Présent : *Je nage, nous nageons.*
Imparfait : *Je nageais, nous nagions.*

(manger) Je ......

(changer) Tu ......
(interroger) Il ......
(protéger) Nous ......
(mélanger) Vous ......
(déménager) Ils ......

C/ 1. Les joueurs *(lancer)* le ballon.
2. Ils ne *(ranger)* jamais leurs affaires.
3. Nous *(annoncer)* notre arrivée à nos amis.
4. Vous *(plonger)* dans la piscine.
5. Ma montre *(avancer)*.

4.

A/ Mettez à l'imparfait :

(payer) Présent : *Je paie, nous payons.*
Imparfait : *Je payais, nous payions.*

(essayer) Je ......
(employer) Tu ......
(envoyer) Il ......
(essuyer) Nous ......
(ennuyer) Vous ......
(payer) Ils ......

B/ 1. Nous *(essayer)* d'écrire correctement.
2. Tu *(ennuyer)* tout le monde avec tes histoires !
3. Nous *(payer)* très cher notre studio.
4. Ils *(employer)* des mots étranges.
5. Vous *(balayer)* la cuisine.

5. Mettez le verbe à l'imparfait (attention à nous **et** vous**) :**

Nous criions — *Nous travaillions* — *Nous gagnions*
Vous criiez — *Vous travailliez* — *Vous gagniez*

1. Le soleil brille.
2. Nous signons des papiers.
3. Nous remercions nos hôtes.
4. Vous accompagnez votre mère à la gare.
5. Nous étudions le français.
6. Tu travailles beaucoup.
7. Elle oublie toujours ses papiers d'identité.
8. Vous réveillez les enfants.
9. La jeune fille gagne sa vie.
10. Les manifestants crient.

6. Mettez les verbes à l'imparfait à la personne indiquée :

(grandir) Présent : *Je grandis, nous grandissons.*
Imparfait : *Je grandissais, nous grandissions.*

A/ *(finir)* Je ......
(réussir) Tu ......
(obéir) Il ......
(réfléchir) Nous ......

(choisir) Vous ......
(maigrir) Ils ......

B/
1. Tu *(remplir)* le verre.
2. Françoise *(choisir)* un livre.
3. Moi, je *(grossir)* et toi, tu *(maigrir)*.
4. Nous *(finir)* le repas.
5. Les ouvriers *(bâtir)* un immeuble.
6. Vous ne *(réfléchir)* pas beaucoup.
7. Les avions *(atterrir)*.
8. La chatte *(nourrir)* ses petits.
9. Nous *(rougir)* de plaisir.
10. Les enfants *(pâlir)* de peur.

7. Mettez les verbes à l'imparfait :

A/ *(dormir)* Présent : *Je dors, nous dormons.*
Imparfait : *Je dormais, nous dormions.*

1. Les jeunes gens *(sortir)* tous les soirs.
2. Nous *(partir)* en vacances.
3. Le garçon *(servir)* les clients.
4. Je *(venir)* vous voir tous les jours.
5. Elle *(tenir)* l'enfant par la main.

B/ *(ouvrir)* Présent : *J'ouvre, nous ouvrons.*
Imparfait : *J'ouvrais, nous ouvrions.*

1. Il *(offrir)* souvent des cadeaux à sa femme.
2. Vous *(cueillir)* des fleurs.
3. La neige *(recouvrir)* le sol.
4. Tu *(souffrir)* beaucoup.
5. Vous *(ouvrir)* la fenêtre.

8. Mettez à l'imparfait :

A/ *(dire)* Présent : *Je dis, nous disons.*
Imparfait : *Je disais, nous disions.*

1. *(lire)* Ils, vous, je.
2. *(traduire)* Nous, elle, tu.
3. *(dire)* Vous, il, elles.
4. *(construire)* Tu, nous, je.
5. *(plaire)* Je, vous, elles.

B/ *(suivre)* Présent : *Je suis, nous suivons.*
Imparfait : *Je suivais, nous suivions.*

1. *(vivre)* Tu, nous, ils.
2. *(poursuivre)* Vous, je, elle.
3. *(suivre)* Il, tu, nous.

C/ *(vendre)* Présent : *Je vends, nous vendons.*
Imparfait : *Je vendais, nous vendions.*

1. *(rendre)* Tu, il, elles.
2. *(entendre)* Je, nous, elle.
3. *(attendre)* Vous, tu, il.

4. *(descendre)* Nous, je, elles.
5. *(répondre)* Tu, nous, il.
6. *(défendre)* Vous, je, elles.
7. *(mordre)* Ils, il.
8. *(perdre)* Nous, vous, je.

D/ *(mettre)* Présent : *Je mets, nous mettons.*
Imparfait : *Je mettais, nous mettions.*

1. *(mettre)* Je, vous, il.
2. *(battre)* Je, nous, elles.
3. *(admettre)* Vous, tu, il.
4. *(combattre)* Nous, je, elles.
5. *(remettre)* Tu, vous, elle.

E/ *(paraître)* Présent : *Je parais, nous paraissons.*
Imparfait : *Je paraissais, nous paraissions.*

1. *(paraître)* Je, nous, il.
2. *(connaître)* Tu, vous, ils.
3. *(disparaître)* Je, nous, elle.
4. *(naître)* Tu, vous, ils.
5. *(reconnaître)* Je, vous, ils.

F/ *(craindre)* Présent : *Je crains, nous craignons.*
Imparfait : *Je craignais, nous craignions.*

1. *(craindre)* Tu, nous, il.
2. *(peindre)* Je, vous, elles.
3. *(joindre)* Vous, il, je.
4. *(éteindre)* Nous, tu, elles.
5. *(plaindre)* Je, vous, ils.

G/
1. Il *(dire)* des bêtises.
2. Vous *(répondre)* aux questions.
3. Le policier *(poursuivre)* le voleur.
4. Nous *(ne pas connaître)* bien cette personne.
5. Tu *(peindre)* les murs de ta chambre.
6. Vous *(lire)* le journal.
7. Je *(craindre)* l'orage.
8. Ils *(vivre)* en Espagne.
9. Tu *(descendre)* l'escalier.
10. Je *(interdire)* aux enfants de regarder la télévision le soir.

9. Mettez le verbe à l'imparfait :

A/ *(savoir)* Présent : *Je sais, nous savons.*
Imparfait : *Je savais, nous savions.*

1. *(savoir)* Tu, vous, ils.
2. *(devoir)* Je, nous, vous.
3. *(pouvoir)* Nous, elle, vous.
4. *(recevoir)* Je, ils, tu.
5. *(vouloir)* Tu, ils, elle.
6. *(décevoir)* Nous, je, ils.
7. *(valoir)* Ils, il.

8. *(apercevoir)* Elles, nous, tu.
9. *(falloir)* Il.
10. *(pleuvoir)* Il.

B/
1. Nous *(ne pas savoir)* la vérité.
2. Je *(devoir)* partir.
3. Il *(pleuvoir)*.
4. Nous *(ne pas pouvoir)* sortir.
5. Il *(falloir)* attendre.

10. Mettez le verbe à l'imparfait :

A/

(boire) Présent : *Je bois, nous b**uv**ons.*
Imparfait : *Je b**uv**ais, nous b**uv**ions.*

1. *(boire)* Tu, nous, il.
2. *(faire)* Je, vous, elles.
3. *(croire)* Nous, elle, vous.
4. *(prendre)* Je, nous, il.
5. *(voir)* Tu, nous, ils.
6. *(rire)* Nous, je, vous.
7. *(écrire)* Tu, vous, elle.
8. *(comprendre)* Je, vous, elle.
9. *(prévoir)* Tu, nous, il.
10. *(refaire)* Je, vous, ils.

B/
1. Tu *(faire)* le ménage.
2. Vous *(croire)* aux fantômes.
3. Ils *(écrire)* beaucoup de lettres.
4. Tu *(boire)* du café.
5. Je *(prendre)* l'autobus.

11. Mettez dans la case la lettre correspondant à la valeur de l'imparfait :

A. *Description.*
B. *Habitude.*
C. *Simultanéité.*

☐ 1. Chaque année, nous passions nos vacances à la montagne.
☐ 2. Il faisait très froid ; le soleil éclairait faiblement la rue.
☐ 3. Martine écoutait un disque ; pendant ce temps, Julien lisait.
☐ 4. Il était triste, il avait envie de pleurer.
☐ 5. C'était un matin d'octobre, les arbres commençaient à perdre leurs feuilles.
☐ 6. Il prenait toujours la même chose pour son petit déjeuner : un café et des croissants.
☐ 7. Il était sept heures du matin, la rue s'éveillait.
☐ 8. Tous les jours ma mère me disait de faire mes devoirs et de ranger ma chambre.
☐ 9. Il pleuvait, le vent soufflait, les gens étaient pressés de rentrer.
☐ 10. Il marchait sur la plage et, en même temps, il réfléchissait.

12. Faites une phrase à l'imparfait avec les éléments donnés :

1. Chaque matin – prendre mon petit déjeuner à 8 heures.
2. Généralement – mes amis – venir me voir le dimanche.
3. D'habitude – Jacques et moi – faire une longue promenade après le déjeuner.

4. Dans leur jeunesse – mes parents – ne jamais aller à la montagne.
5. Pendant l'été – sortir – vous – tous les soirs ?
6. Habituellement – passer ses vacances en Italie.
7. Tous les matins – arriver en retard à son bureau.
8. Chaque jour – nous – partir à la même heure.
9. Écrire souvent à ton petit ami – pendant ton séjour à Londres ?
10. En général – Maud – dire des choses intéressantes.

13. Mettez les verbes à l'imparfait :

A/ Un soir à l'opéra

Les spectateurs *(arriver)* peu à peu et une ouvreuse *(conduire)* chacun à sa place. Au bout d'un moment, la salle *(être)* pleine. Les gens *(acheter)* des programmes et *(bavarder)* en attendant le début du spectacle.

Sur la scène, derrière le rideau, les danseurs *(prendre)* aussi leur place. Une danseuse *(arranger)* sa coiffure, une autre *(relacer)* son chausson. Tous les cœurs *(battre)*. Ils *(devoir)* oublier leur trac, il *(falloir)* sourire : le ballet *(aller)* commencer.

B/ La bande des quatre

Nous sommes quatre amis inséparables. Nous faisons nos études ensemble, nous passons nos vacances ensemble, nous partons en voyage ensemble.

Après les cours, nous allons toujours dans le même café près de l'université. Le patron est gentil et nous pouvons rester très longtemps. Nous jouons souvent aux cartes, mais parfois nous discutons des heures entières autour d'un café ou d'une bière.

Nous avons des caractères très différents. Florent parle de façon passionnée des événements politiques et critique tous les gouvernements. Patrick lit beaucoup et voit toujours la vie en rose. Frédéric, lui, aime le sport et organise tous nos loisirs. Quant à Olivier, il sait faire rire tout le monde. Il dit au bon moment un mot drôle ou fait une plaisanterie. Nous formons vraiment un groupe unique.

N.B. Voir aussi le chapitre 15 sur le passé composé de l'Indicatif.

Le passé composé de l'indicatif

15

1. Écrivez au passé composé les verbes avoir **et** être **:**

A/

1. *J'ai eu mal à la tête* — *et* — *j'ai été malade.*
2. Tu .... peur — et — tu .... surpris.
3. Il .... froid — et — il .... enrhumé.
4. Nous .... faim — et — nous .... affamés.
5. Vous .... soif — et — vous .... assoiffés.
6. Ils .... de la chance — et — ils .... gagnants.

B/

1. Il y *(avoir)* un coup de tonnerre et un éclair dans le ciel.
2. Vous *(avoir)* un accident et vous *(être)* légèrement blessé.
3. On *(avoir)* de bons résultats, on *(être)* content.
4. Je *(être)* enchanté de faire votre connaissance.

2. Écrivez au passé composé :

(regarder) Je ...... regard... par la fenêtre.
→ *J'ai regardé par la fenêtre.*

A/ 1. *(danser)* Je ...... dans... toute la nuit.
2. *(parler)* Tu ...... parl... très longtemps.
3. *(jeter)* Il ...... jet... ces feuilles à la poubelle.
4. *(étudier)* Nous ...... étudi... sérieusement.
5. *(jouer)* Vous ...... jou... tout l'après-midi dehors.
6. *(ennuyer)* Cette émission ...... ennuy... les téléspectateurs.

B/ 1. La jeune fille *(préparer)* le dîner et *(appeler)* les enfants.
2. Est-ce que tu *(aimer)* ce film ? Non, je *(détester)* cette histoire.
3. L'automobiliste *(trouver)* une place et *(garer)* sa voiture.
4. Le vent *(souffler)* très fort et la terre *(trembler)*.

3. Écrivez le verbe au passé composé :

A/ *(finir)* Je ...... fin... ce livre hier soir.
→ *J'ai fini ce livre hier soir.*

1. *(choisir)* Nous ...... chois... cette date pour la fête.
2. *(obéir)* Il ...... obé... à son père.
3. *(fleurir)* Les arbres ...... fleur... tôt cette année.
4. *(mûrir)* Les fruits ...... mûr... très vite.

B/ 1. *(réfléchir)* Tu ....pendant une semaine.
2. *(agir)* Ensuite, tu .... très rapidement.
3. *(mincir)* Est-ce que vous .... ?
4. *(grossir)* Non, au contraire, je .... de deux kilos.
5. *(vieillir)* Cette femme .... brutalement.
6. *(blanchir)* Ses cheveux .... en quelques semaines.

C/ 1. *(dormir)* Hélène .... jusqu'à onze heures du matin.
2. *(cueillir)* Les enfants .... des pâquerettes dans les champs.
3. *(servir)* La maîtresse de maison .... l'apéritif à ses invités.
4. *(sentir)* Les animaux .... approcher l'orage.
5. *(suivre)* La malade .... les conseils de son médecin.

4. Écrivez le verbe au passé composé :

A/ *(vendre)* Je ...... vend... ma maison.
→ *J'ai vendu ma maison.*

1. *(répondre)* Je ...... répond... à ta lettre.
2. *(entendre)* Il ...... entend... un bruit bizarre dans l'ascenseur.
3. *(perdre)* Nous ...... perd... notre temps.
4. *(attendre)* Vous ...... attend... dix minutes l'autobus.
5. *(battre)* L'équipe du Brésil ...... batt... l'équipe de France.

B/ 1. *(défendre)* On .... le stationnement dans cette rue.
2. *(rendre)* La caissière .... la monnaie au client.
3. *(mordre)* Le chien .... la fillette à la jambe.
4. *(confondre)* Tu .... plusieurs mots.
5. *(combattre)* Ils .... l'injustice toute leur vie.

5. Même exercice :

(connaître) Je ...... conn... ta famille en Italie.
→ *J'ai connu ta famille en Italie.*

1. *(paraître)* Jérôme ...... par... surpris de cette réponse.
2. *(reconnaître)* Est-ce que tu ...... reconn... notre ami François ?
3. *(apparaître)* Le fantôme ...... appar... la nuit dernière.
4. *(disparaître)* L'avion ...... dispar... dans le ciel.
5. *(connaître)* Ce journaliste ...... conn... Jean-Paul Sartre.

6. Écrivez les verbes au passé composé :

(voir) Je ...... v... un bon film hier.
→ *J'ai vu un bon film hier.*

A/
1. *(voir)* Est-ce que vous ...... v... cette exposition ?
2. *(vouloir)* Tu ...... voul... voyager en avion.
3. *(falloir)* Il ...... fall... partir très vite hier soir.
4. *(prévoir)* Les ingénieurs ...... prév... ici une nouvelle route.
5. *(valoir)* Ce roman ...... val... une récompense à son auteur.
6. *(revoir)* Nous ...... rev... des amis d'enfance.

B/ (Attention aux participes passés)
1. *(savoir)* Ils ...... s... lire et écrire à six ans.
2. *(pouvoir)* Vous ...... p... bavarder ensemble toute la journée.
3. *(devoir)* Nous ...... d^.. travailler jusqu'à minuit.
4. *(pleuvoir)* Hier, il ...... pl... toute la soirée.
5. *(apercevoir)* Le marin ...... aperç... le phare dans la nuit.
6. *(décevoir)* Les résultats des élections ...... déç... les candidats.
7. *(recevoir)* J'... reç... plusieurs lettres ce matin.

7. Écrivez le verbe au passé composé :

(tenir) Raphaël ...... ten... sa promesse.
→ *Raphaël **a** tenu sa promesse.*

A/
1. *(retenir)* Tu ...... bien reten... notre adresse.
2. *(obtenir)* Les grévistes ...... obten... une augmentation de salaire.
3. *(appartenir)* Cette maison ...... apparten... à une famille célèbre.
4. *(courir)* Les champions ...... cour... le marathon de New York.

B/
1. *(lire)* Cet enfant ...... l... tous les livres de cette bibliothèque.
2. *(élire)* Les Français ...... él... le Président de la République.

C/
1. *(boire)* Tu ...... vraiment b... beaucoup trop ce soir !
2. *(croire)* Est-ce que vous ...... cr... cette histoire ?

D/
1. *(plaire)* Est-ce que ton ami ...... pl... à tes parents ?
2. *(déplaire)* Ce livre ...... dépl... à de nombreux lecteurs.

8. Écrivez le verbe au passé composé :

(mettre) La serveuse ...... m... le couvert.
→ *La serveuse **a** mis le couvert.*

1. *(prendre)* Le voyageur pressé ...... pr... le premier train.
2. *(permettre)* Vous ...... perm... à cet employé de partir tôt.

3. *(apprendre)* L'élève ...... appr... ce poème par cœur.
4. *(promettre)* Sébastien ...... prom... de rentrer à minuit.
5. *(comprendre)* Est-ce que tu ...... compr... cette phrase ?

9. Même exercice :

(écrire) Ce romancier ...... écr... plusieurs livres.
→ *Ce romancier **a** écr__it__ plusieurs livres.*

1. *(dire)* Nous ...... d... quelques mots à voix basse.
2. *(interdire)* Ce ministre ...... interd... les réunions publiques.
3. *(prédire)* La voyante ...... préd... à Bruno un avenir brillant.
4. *(contredire)* Les enfants ...... contred... leur père.
5. *(récrire* ou *réécrire)* T.E. Lawrence ...... récr... quatre fois cette histoire.

10. Même exercice :

(traduire) Tu ...... trad... ce texte facilement.
→ *Tu **as** trad__uit__ ce texte facilement.*

1. *(conduire)* Le chauffeur de taxi ...... cond... son client à l'aéroport.
2. *(construire)* Ces ouvriers ...... constr... la pyramide du Louvre.
3. *(détruire)* Un bombardement ...... détr... tout ce quartier de la ville.
4. *(produire)* Cette région ...... prod... du blé pendant des siècles.
5. *(séduire)* Tu ...... séd... ce Don Juan. Bravo !

11. Même exercice :

(couvrir) L'automne dernier, les feuilles mortes ...... couv... toute la pelouse.
→ *L'automne dernier, les feuilles mortes **ont** couv__ert__ toute la pelouse.*

1. *(offrir)* Thierry ...... off... une bague à sa petite amie.
2. *(ouvrir)* Le vent ...... ouv... la fenêtre brutalement.
3. *(découvrir)* Tu ...... découv... le secret de Gilles.
4. *(souffrir)* Vous ...... souff... des dents toute la nuit.
5. *(ouvrir)* Les enfants surpris ...... ouv... des yeux ronds.

12. Même exercice :

(peindre) Picasso ...... p... *Les Demoiselles d'Avignon* en 1907.
→ *Picasso **a** p__eint__* Les Demoiselles d'Avignon *en 1907.*

1. *(éteindre)* Les pompiers ...... ét... l'incendie en dix minutes.
2. *(craindre)* Pendant toute mon enfance, je ...... cr... mon père.
3. *(plaindre)* Nous ...... pl... les clochards pendant cet hiver si froid.
4. *(joindre)* Est-ce que tu ...... j... ton ami au téléphone ?
5. *(rejoindre)* L'aviateur ...... rej... sa base après le combat.

13. Même exercice :

1. *(faire)* Est-ce que tu ...... f... tout ton travail ?
2. *(rire)* Les invités ...... r... aux larmes toute la soirée.
3. *(vivre)* Nous ...... véc... longtemps à l'étranger.
4. *(sourire)* Le jeune homme ...... sour... à la jeune fille.
5. *(survivre)* Les réfugiés ...... survéc... courageusement.
6. *(asseoir)* La mère ...... ass... son bébé sur sa chaise.

7. *(défaire)* Je ...... déf... mes valises après mon voyage.
8. *(conquérir)* Cet athlète ...... conqu... le titre de champion du monde.
9. *(recoudre)* Est-ce qu'il ...... recous... son pantalon ?
10. *(refaire)* Vous ...... ref... trois fois l'addition.

14. Même exercice :

A/ *(aller)* Je ...... all... à la piscine hier matin.
→ *Je **suis** all**é(e)** à la piscine hier matin.*

1. *(arriver)* L'avion ...... arriv... avec deux heures de retard.
2. *(entrer)* L'actrice ...... entr... en scène au troisième acte.
3. *(tomber)* Les fruits mûrs ...... tomb... de l'arbre.
4. *(rester)* Barbara ...... rest... au lit jusqu'à onze heures.
5. *(venir)* Nous ...... ven... aider nos amis à déménager.
6. *(revenir)* Les hirondelles ...... reven... ; c'est le printemps.
7. *(partir)* Au signal, les coureurs ...... part...
8. *(mourir)* Ces soldats ...... m... à la guerre.
9. *(devenir)* Tes enfants ...... deven... de beaux adolescents.
10. *(naître)* Marianne ...... n... le 14 Juillet 1789.

*B/ *(descendre)* Je ...... descend... l'escalier.
Tu ...... descend... par l'ascenseur.
→ ***J'ai** descend**u** l'escalier. Tu **es** descend**u(e)** par l'ascenseur.*

1. *(monter)* Il ...... mont... sa valise dans sa chambre d'hôtel.
   Il ...... mont... sur sa moto.
2. *(passer)* Je ...... pass... le sel à mon voisin de table.
   Je ...... pass... par cette avenue plusieurs fois.
3. *(rentrer)* Je ...... rentr... le linge avant la pluie.
   Fabrice ...... rentr... de sa soirée à minuit.
4. *(sortir)* La cuisinière ...... sort... le gâteau du four.
   Les voleurs ...... sort... par la fenêtre.
5. *(retourner)* Elle ...... retourn... l'objet pour voir le prix.
   Elle ...... retourn... chez ses parents après son divorce.

15. Répondez à la forme affirmative puis négative :

A/ As-tu reçu un coup de téléphone ?
→ *Oui, j'ai reçu un coup de téléphone.*
→ *Non, je **n'**ai **pas** reçu de coup de téléphone.*

1. Avez-vous fait des courses ce matin ?
2. Ont-ils passé de bonnes vacances ?
3. As-tu perdu tes clés ?
4. A-t-il vu ce film plusieurs fois ?
5. Est-ce que vous avez regardé les photos de ce journal ?

B/ As-tu déjà envoyé ta lettre ?
→ *Oui, j'ai déjà envoyé ma lettre.*
→ *Non, je **n'**ai **pas encore** envoyé ma lettre.*

1. Ont-ils déjà gagné au Loto ?
2. Avez-vous toujours eu de la chance dans la vie ?
3. Est-ce que tu as tout compris ?

4. Pierre a-t-il mangé quelque chose au petit déjeuner ?`
5. Est-ce que tu as rencontré quelqu'un ce matin ?

16. Écrivez la question au passé composé :

Que – tu – faire – ce matin ?
→ *Qu'as-**tu** fait ce matin ?* ou
→ *Qu'est-ce que tu as fait ce matin ?*

1. Qui – comprendre cette explication ?
2. Pourquoi – il – refuser ce travail ?
3. Quand – vous – arriver à Paris ?
4. Comment – ils – trouver ton adresse ?
5. Où – elles – partir en vacances ?
6. Quel livre – vous – lire pendant le week-end ?
7. Dans quelle banque – elle – ouvrir un compte ?
8. Combien – je – dépenser hier ?
9. Comment – il – survivre après ce choc ?
10. Combien de temps – tu – rester malade ?

17. Mettez dans la case la lettre correspondant à la valeur du passé composé :

A. *Action à un moment précis du passé.*
B. *Suite d'actions passées.*
C. *Durée limitée.*

☐ 1. La bombe a explosé ce matin à huit heures.
☐ 2. Il a pris son manteau, il a ouvert la porte, puis il est sorti.
☐ 3. Qu'est-ce que tu as fait pendant la soirée ?
☐ 4. Avant-hier, il a plu toute la matinée.
☐ 5. Le jour de son arrivée à Paris, elle a rencontré ce garçon.
☐ 6. Les spectateurs ont applaudi pendant une demi-heure.
☐ 7. Ce film est sorti la semaine dernière.
☐ 8. Les touristes sont descendus du car, ont pris une photo et sont vite remontés dans leur autobus.
☐ 9. La malade a attendu la visite du médecin toute la journée.
☐ 10. Il y a dix ans, il a quitté sa famille, son travail et ses amis, il a acheté un bateau et il est parti découvrir le monde.

18. Utilisez les éléments donnés pour faire une phrase au passé composé :

1. Ce matin – falloir partir très tôt.
2. Hier soir – attendre ton coup de téléphone.
3. Dimanche dernier – le champion – battre un record.
4. À sept heures du matin – mettre son manteau et partir.
5. Il y a quelques minutes – le téléphone – sonner.
6. Il y a plusieurs jours – Bertrand – revenir de Roumanie.
7. Il y a quelques mois – vivre une aventure étrange.
8. La semaine dernière – déjà remplir ce formulaire.

9. La nuit dernière – prendre un taxi pour rentrer.
10. Pendant deux jours – Gérard – dormir sans arrêt.
11. De huit heures à midi – il – pleuvoir beaucoup.
12. Jusqu'à onze heures du soir – il y avoir du bruit dehors.
13. Le 28 juillet 1989 – Pauline – naître à Grenoble.
14. Tout à coup – le chauffeur – perdre le contrôle de sa voiture.
15. Soudain – le ciel – devenir très sombre et l'orage – commencer.
16. Je – tout expliquer à Charles. Il – comprendre tout de suite.
17. En 1793 – beaucoup de nobles français – quitter leur pays.
18. Après son retour – Xavier – offrir une grande fête à ses amis.
19. Alexandre – disparaître quelques jours – puis – écrire une petite lettre d'explication à ses parents.
20. L'accusé – mentir longtemps – mais – enfin avouer.

19. Mettez le verbe entre parenthèses au passé composé ou au passé proche selon le sens :

Le témoin *(dire)* la vérité
→ *Le témoin* ***a dit*** *la vérité.*
Nicolas *(mentir)*, il a l'air gêné.
→ *Nicolas* ***vient de mentir****, il a l'air gêné.*

1. L'avion *(atterrir)*, les voyageurs se lèvent pour sortir.
   Ce matin, l'avion *(décoller)* avec une heure de retard.
2. Après cette réunion difficile, tout le monde *(partir)* furieux.
   Pouvez-vous rappeler plus tard ? Le directeur *(sortir)*.
3. Après le spectacle, les spectateurs *(applaudir)* les acteurs.
   Le spectacle *(commencer)*, entrez vite !
4. La récolte *(être)* bonne, cette année.
   On *(finir)* les vendanges.
5. Le train *(partir)*, Sylvie regarde le dernier wagon s'éloigner.
   Sylvain *(arriver)* à la gare longtemps à l'avance.

***20. Écrivez les verbes à l'imparfait ou au passé composé en imitant les exemples :**

A/ Hier, Sabine *(être)* malade, elle *(rester)* au lit toute la journée.
→ *Hier, Sabine* ***a été*** *malade, elle* ***est restée*** *au lit toute la journée.*

1. Quand les musiciens de l'orchestre *(entrer)*, le public *(applaudir)*.
2. Qu'est-ce que tu *(entendre)* hier au concert ? Rien, je *(dormir)* tout le temps.
3. Est-ce que tu *(rire)* bien le jour où tu *(aller)* chez Alex ?
4. Quand elle *(apercevoir)* Julie dans les bras de son mari, elle *(pousser)* un cri.
5. Est-ce que le réveil *(sonner)* ? Oui, mais nous *(ne rien entendre)*.

B/ Je *(voir)* un fantôme, il *(être)* effrayant.
→ ***J'ai vu*** *un fantôme, il* ***était*** *effrayant.*

1. Hier soir, je vous *(téléphoner)*, mais vous *(être)* absent.
2. Ce matin, elle *(ouvrir)* sa fenêtre : le soleil *(briller)* déjà.
3. Elle *(être)* sur l'échelle, soudain elle *(avoir)* peur et elle *(tomber)*.
4. Cet acteur *(être)* timide. Ensuite, il *(devenir)* plus sûr de lui.
5. Un violoniste *(venir)* d'éternuer bruyamment, alors le chef d'orchestre *(jeter)* sa baguette par terre.

21. Écrivez les verbes à l'imparfait ou au passé composé selon le sens :

A/ Ce matin, Yannik *(dormir)*, quand soudain le téléphone *(sonner)*. Il *(courir)* jusqu'à l'appareil, il *(répondre)* mais il *(entendre)* une voix qu'il ne *(connaître)* pas. Ce *(être)* une erreur. Il *(retourner)* se coucher.

B/ Hier, Irène *(rentrer)* chez elle à six heures. Elle *(se sentir)* triste ; elle *(vouloir)* parler avec quelqu'un, mais elle *(vivre)* seule. Alors, elle *(pleurer)* un peu et puis elle *(réfléchir)* : il *(falloir)* sortir, voir un film, boire un verre et rencontrer des gens. Dans sa tête, tout *(aller)* déjà mieux.

C/ Dimanche matin, Myriam *(ouvrir)* les yeux très tard. Il *(faire)* très beau, ce *(être)* une belle journée. Elle *(sauter)* de son lit, elle *(déjeuner)*, elle *(faire)* sa toilette, elle *(mettre)* ses plus jolis vêtements, et elle *(sortir)*. Les rues *(sembler)* calmes mais sur les trottoirs beaucoup de monde *(se promener)*.

D/ Il *(être)* trois heures de l'après-midi. Antoine *(avoir)* très faim. Alors, il *(revenir)* chez lui ; il *(ouvrir)* tout de suite le réfrigérateur, et il *(commencer)* à préparer son repas : il *(faire)* une salade de tomates, puis il *(manger)* un morceau de camembert et une orange comme dessert. Ensuite, il *(prendre)* un café. Ainsi, il *(aller)* pouvoir continuer sa journée.

E/ Ce matin, je *(décider)* d'aller voir mon ami Robert à l'hôpital. Il *(venir)* d'avoir un accident ; ce ne *(être)* pas grave, mais il *(devoir)* rester une semaine en observation. Avant de partir, je *(choisir)* un livre dans ma bibliothèque : ce *(être)* un reportage sur l'Afrique. Je *(savoir)* que Robert *(aimer)* beaucoup ce genre de livres.
Je *(monter)* dans l'autobus, et je *(descendre)* à un arrêt tout proche de l'hôpital ; je *(acheter)* une boîte de chocolats et je *(entrer)* dans la chambre de Robert en même temps que son amie. Je ne *(rester)* que quelques minutes pour les laisser ensemble. Je *(donner)* le livre et les chocolats et je *(repartir)*. Robert *(sembler)* en bonne forme.

F/ Sabine *(détester)* aller chez le coiffeur, mais il y a trois jours, elle *(regarder)* ses cheveux dans une glace : ils *(paraître)* vraiment trop longs ! Il *(falloir)* les couper ; elle *(prendre)* rendez-vous chez le coiffeur. Quand elle *(arriver)*, il *(coiffer)* une autre cliente. Alors, elle *(avoir)* le temps de lire deux revues ; puis le coiffeur *(venir)* vers elle et il *(demander)* comment il *(pouvoir)* la coiffer. La coupe et le séchage des cheveux *(durer)* longtemps mais finalement, Sabine *(sourire)* à son image dans le miroir et elle *(ressortir)* contente de sa nouvelle tête.

G/ « Jean, comment *(connaître)*-tu Sarah ?
— La première fois que je *(voir)* Sarah, elle *(être)* en train de travailler, elle *(accueillir)* les clients d'un bureau de tourisme. Elle *(sembler)* sympathique et souriante, mais je *(penser)* que cela *(faire)* partie de son métier. Ensuite, je *(poser)* quelques questions sur un séjour au Portugal que je *(vouloir)* faire et je *(proposer)* de l'inviter à dîner. Elle me *(regarder)* droit dans les yeux et elle *(accepter)* ; nous *(aller)* dîner sur une péniche.
Le lendemain, très tôt, elle me *(passer)* un coup de fil à mon bureau ; à ce moment-là, je *(sentir)* que je lui *(plaire)* aussi. Tout à coup, je *(comprendre)* : ce *(être)* la femme de ma vie ! »

H/ Ce *(être)* la fin de la journée. Victor Fournier *(rentrer)* chez lui, fatigué. Il *(avoir)* envie de prendre un bain et de se reposer. Mais quand il *(arriver)* devant son immeuble, il *(voir)* des flammes. Il y *(avoir)* le feu ! À cette heure-là, beaucoup d'enfants *(être)* seuls chez eux et *(attendre)* le retour de leurs parents. Victor le *(savoir)*. Alors, très vite, il *(courir)*, *(monter)* l'escalier, il *(appeler)* les enfants et il *(conduire)* tout le monde au dernier étage.

Les pompiers *(arriver)* avec leur grande échelle et tous les enfants *(pouvoir)* être sauvés. Ce jour-là, Victor Fournier *(devenir)* le héros du quartier.

I/ À votre tour, et sur le modèle des petits textes précédents, racontez une visite chez un ami, une scène dans un magasin ou une rencontre intéressante.

16 Le plus-que-parfait de l'indicatif

1.	Verbes conjugués avec **avoir**
2.	Verbes conjugués avec **être**
3.	Verbes conjugués avec **avoir** ou **être**
4.	Emploi
5.6.7.	Révision et texte

1. Mettez le verbe au plus-que-parfait :

A/ *(être)* → ***J'avais été.*** *(avoir)* → ***J'avais eu.***

1. Je *(être)* très fatigué cette année-là.
2. Tu *(avoir)* beaucoup de soucis.
3. Notre fils *(avoir)* de mauvais résultats.
4. Nos parents *(être)* malades.
5. Nous *(ne pas avoir)* de nouvelles.
6. Nous *(être)* étonnés.
7. Vous ne *(avoir)* aucune information non plus.
8. Vous *(être)* très inquiets.
9. On *(ne pas avoir)* de chance.
10. Ce *(être)* une mauvaise année !

B/

1. Nous *(manger)* des haricots verts.
2. Ils *(ne pas encore finir)* leur voyage.
3. Vous *(ouvrir)* les fenêtres.
4. Je *(mettre)* du sel dans le potage.
5. Il *(ne pas pouvoir)* arriver à l'heure.
6. Elle *(écrire)* un très beau roman.
7. Nous *(faire)* une grande promenade.
8. Vous *(ne pas comprendre)* cette explication.
9. Je *(servir)* le petit déjeuner.
10. En 1880, Claude Monet *(peindre)* déjà de nombreuses toiles.

2. Même exercice :

1. Ce jour-là, nous *(aller)* chercher Alexandre.
2. Vous *(rester)* chez vous.

3. Il *(ne jamais venir)* à Paris.
4. Il *(partir)* d'Athènes avec un beau soleil.
5. Et il *(arriver)* à Paris sous la pluie.
6. Son avion *(avoir)* du retard.
7. Nous *(entrer)* dans l'aéroport à 10 heures.
8. Et nous *(repartir)* à 13 heures !
9. Il *(sortir)* de l'avion en souriant.
10. Nous *(rentrer)* chez nous très fatigués, mais contents.

3. Même exercice :

1. *(Descendre)*-tu la poubelle ?
2. Elles *(ne pas encore descendre)* du train.
3. Je *(monter)* mes vieux vêtements au grenier.
4. Nous *(monter)* déjà tout en haut de la tour Eiffel.
5. *(Sortir)*-vous toutes les valises de la voiture ?
6. François *(sortir)* à huit heures.
7. Est-ce que tu *(rentrer)* le linge avant la pluie ?
8. Il était minuit et Paul *(ne pas encore rentrer)* chez lui.
9. Vous *(passer)* vos vacances en Angleterre.
10. Il *(ne jamais passer)* par cette rue.

4. Même exercice :

A/
1. Je *(lire)* déjà ce livre, mais j'ai voulu le relire.
2. Elle *(voir)* déjà cette exposition, elle n'a pas voulu m'accompagner.
3. Françoise et Catherine *(partir)* déjà quand nous sommes arrivés.
4. Nous *(prendre)* déjà l'apéritif quand Victor a eu un malaise.
5. Nous *(aller)* déjà dans cette ville, mais nous y sommes retournés l'été dernier.

B/
1. Il *(manger)*, il *(faire)* la vaisselle : il pouvait se reposer.
2. Nous *(comprendre)* enfin les explications du professeur : nous pouvions faire notre exercice.
3. Vous *(chanter)* pendant deux heures : vous n'aviez plus de voix.
4. Le taxi m'attendait et je *(ne pas finir)* mes valises !
5. Pierre *(boire)* beaucoup d'alcool : il ne devait pas conduire.

C/
1. Il *(pleuvoir)* toute la nuit : le sol était mouillé.
2. Ils *(conduire)* toute la journée : ils ont dû se reposer.
3. Elle *(marcher)* pendant des heures : elle était épuisée.
4. Nous *(ne pas encore finir)* de dîner quand Antoine a téléphoné.
5. Je ne me souvenais plus que je *(passer)* déjà par là.

5. Construisez un texte au plus-que-parfait avec les éléments donnés :

Philippe et Nicolas sont enfin inscrits à l'université. Mais avant :
- Téléphoner au secrétariat.
- Aller chercher des formulaires.
- Remplir beaucoup de papiers.
- Faire plusieurs fois la queue.
- Déposer leur dossier.
- Attendre dans plusieurs bureaux.

Puis,
- Recevoir une convocation.

– Venir le jour indiqué.
– Payer les droits d'inscription.
– Et obtenir leur carte d'étudiant !

6. Mettez les verbes au plus-que-parfait ou à l'imparfait selon le sens :

A/ Quand nous étions enfants, mes frères et moi, nous allions en Bretagne passer nos vacances.

Le matin de notre départ, toute la famille *(être)* énervée. Avant le départ, mon père *(vérifier)* la voiture, ma mère *(ranger)* les affaires et *(fermer)* les valises.

Puis le moment de partir *(arriver)* : ce *(être)* le début de la grande aventure annuelle.

À notre arrivée, nous *(courir)* dans le jardin, nous *(entrer)* dans la maison. L'été précédent, nous *(laisser)* nos livres et nos jouets que nous *(retrouver)* avec plaisir. Rien ne *(changer)*, personne ne *(déplacer)* les objets : ils *(attendre)* une année entière notre retour. Ils *(pouvoir)* enfin reprendre vie, ils *(redevenir)* les témoins de nos jeux d'enfants.

B/ Ce *(être)* l'hiver, il *(neiger)*. Je *(être)* malade et je *(avoir)* froid. Je *(ne pas pouvoir)* aller au théâtre avec Jacques et je *(attendre)* son retour. Nous *(prendre)* les places de cette pièce de Ionesco deux mois avant, car ce *(être)* un grand succès théâtral. Et moi maintenant, je *(être)* dans mon lit !

Pourquoi Jacques *(ne pas revenir)* ? Je *(commencer)* à m'inquiéter.

Enfin, il *(être)* là ! La pièce *(durer)* trois heures et heureusement il *(attraper)* le dernier métro !

7. Texte :

Il y avait toujours eu, sur la planète du petit prince, des fleurs très simples, [...], et qui ne tenaient point de place, et qui ne dérangeaient personne. Elles apparaissaient un matin dans l'herbe, et puis elles s'éteignaient le soir. Mais celle-là avait germé un jour, [...], et le petit prince avait surveillé de très près cette brindille qui ne ressemblait pas aux autres brindilles. [...] La fleur n'en finissait pas de se préparer à être belle, [...]. Elle choisissait avec soin ses couleurs. Elle s'habillait lentement, [...]. Eh, oui. Elle était très coquette ! Sa toilette mystérieuse avait donc duré des jours et des jours.

D'après A. de Saint-Exupéry, *Le Petit Prince*, Éditions Gallimard.

L'impératif

17

1. Remplacez le futur par l'impératif :

A/ Tu seras sage
→ *Sois sage !*

Tu auras du courage
→ *Aie du courage !*

1. Tu seras gentil.
2. Tu auras de la patience.
3. Vous ne serez pas tristes.
4. Vous aurez de la volonté.
5. Nous serons optimistes.
6. Nous n'aurons pas d'inquiétude.
7. Tu n'auras pas peur.
8. Tu auras du courage.
9. Nous serons exacts.
10. Vous serez aussi à l'heure.

2. Remplacez le futur par l'impératif :

Tu appelleras le médecin.
→ *Appelle le médecin !*

A/
1. Tu chanteras.
2. Tu danseras.
3. Tu mangeras du caviar.
4. Tu achèteras ce qui te plaît.
5. Tu voyageras.
6. Tu rencontreras des gens intéressants.
7. Tu profiteras de la vie.
8. Tu ne penseras plus à tes problèmes.
9. Tu ne pleureras plus.
10. Tu n'ennuieras personne avec tes histoires.

B/ 1. Nous essaierons de mettre de l'ordre dans la maison.
2. Nous commencerons par faire la vaisselle.
3. Et nous rangerons les chambres.

C/ 1. Vous regarderez ce coucher de soleil.
2. Vous admirerez ce clair de lune.
3. Vous contemplerez ce paysage.
4. Vous observerez les étoiles dans le ciel.

3. Remplacez le futur par l'impératif :

Tu maigriras un peu
→ ***Maigris** un peu !*

Vous maigrirez un peu.
→ ***Maigrissez** un peu !*

1. Tu réfléchiras avant d'écrire.
2. Tu rempliras le questionnaire.
3. Tu choisiras la bonne réponse.
4. Tu finiras vite.
5. Vous ne rougirez pas, ce n'est rien.
6. Nous applaudirons les acteurs, ils sont excellents.
7. Vous ne punirez pas cet enfant.
8. Tu ne saliras pas tes vêtements.
9. Tu obéiras à tes parents.
10. Nous réunirons nos amis demain soir.

4. Même exercice :

1. Tu viendras au cinéma avec moi et nous verrons un bon film.
2. Tu feras attention, tu ne croiras pas tout ce qu'on te dit.
3. Tu tiendras ton petit frère par la main et vous partirez vite.
4. Vous dormirez un peu plus tard demain, vous ferez la grasse matinée : c'est dimanche.
5. Tu ne boiras pas tant, cela te fait du mal. Nous ne boirons pas trop non plus.
6. Pierre, tu éteindras la lumière du salon, et vous, les enfants, vous éteindrez la lumière de votre chambre. Vous ne craindrez rien.
7. Tu prendras ton temps, tu ne répondras pas trop vite, tu ne diras pas de bêtises.
8. Tu offriras des fleurs à ta belle-mère pour son anniversaire et tu ouvriras une bouteille de champagne.
9. Tu iras chercher François à la gare et nous irons au restaurant ensemble.
10. Nous vendrons notre appartement, il est trop grand ; et nous prendrons un studio.

5. Écrivez les verbes à l'impératif selon le modèle :

A/ Il est obligatoire de payer ses impôts.
→ ***Payez** vos impôts !*

Il est obligatoire de :
1. Signer ses chèques.
2. Régler ses factures.
3. Mettre un timbre sur une enveloppe.
4. Composter son billet avant de monter dans le train.
5. Attacher sa ceinture de sécurité.
6. Traverser la rue dans le passage protégé.
7. Rouler à droite en France.

8. Tenir son chien en laisse dans la rue.
9. Éteindre sa cigarette avant d'entrer dans la salle de cinéma.
10. Obéir aux lois.

B/ Il est interdit de marcher sur les pelouses.
→ ***Ne marchez pas** sur les pelouses !*

Il est interdit de :
1. Fumer dans la classe.
2. Jeter quelque chose par la fenêtre.
3. Sortir d'un magasin sans payer ses achats.
4. Descendre d'un train en marche.
5. Entrer sans frapper.
6. Ouvrir les portes du métro entre deux stations.
7. Tirer le signal d'alarme sans raison.
8. Stationner devant une porte de garage.
9. Faire du bruit dans un hôpital.
10. Mettre les pieds sur la table.

6. Remplacez l'infinitif par l'impératif :

A/ Pour cirer vos chaussures,
1. Faire sortir du tube une très petite quantité de crème.
2. Étaler une mince couche de crème sur la chaussure.
3. Laisser sécher.
4. Prendre ensuite un chiffon sec.
5. Et frotter pour faire briller.

B/ Pour laver vos cheveux,
1. Appliquer le shampoing sur les cheveux mouillés.
2. Répartir la mousse et masser légèrement le cuir chevelu.
3. Attendre quelques minutes.
4. Rincer abondamment à l'eau tiède.
5. Recommencer si nécessaire.

C/ Recette pour faire fuir les amis,

Ingrédients :

– 1 kg d'agressivité. 1 kg de méchanceté. 1 pincée de jalousie.

Préparation :
1. Mélanger l'agressivité avec 200 g de méchanceté.
2. Battre le tout.
3. Ajouter peu à peu le reste de méchanceté.
4. Remuer.
5. Prendre une pincée de jalousie et l'intégrer au mélange obtenu.
6. Attendre un peu, puis mettre au congélateur.
7. Servir ce plat avec un grand verre d'eau et ...

vous n'aurez plus d'amis !

D/ Pour devenir vieux rapidement,
1. Ne pas dormir plus de 3 heures par nuit.
2. Manger à n'importe quelle heure.
3. Boire beaucoup d'alcool.
4. Fumer.

5. Voir des films d'épouvante.
6. Être toujours pressé.
7. Ne pas se reposer.
8. Ne jamais se détendre.
9. Suivre ces conseils et ...

vous deviendrez vite très vieux !

E/ À votre tour, imaginez une recette pour ...

N.B. Voir aussi le chapitre 20 sur les pronoms personnels.

Les compléments d'objet direct et indirect

18

1. Trouvez un nom qui complète le verbe en le choisissant dans la colonne de droite :

A/ Nom directement placé après le verbe = complément d'objet direct ou COD :

1. Vous portez	– la télévision.
2. Ils ont regardé	– une quiche lorraine.
3. Tu aimes	– des lunettes.
4. Elle mange	– leurs études.
5. Ils commençaient	– ton quartier.

B/ Nom précédé de la préposition à **= complément d'objet indirect ou COI (attention à la transformation des articles) :**

1. La concierge parlait à	– le tennis.
2. Ils jouent à	– ses parents.
3. Ce livre appartient à	– les locataires du 8ᵉ étage.
4. Cet enfant manque à	– ces enfants.
5. Ces histoires plairont à	– Martine.

C/ Nom précédé de la préposition de **= complément d'objet indirect ou COI (attention à la transformation des articles) :**

1. Les étudiants parlent de	– le piano.
2. Sabine joue de	– un nouveau blouson.
3. Sébastien a besoin de	– leurs professeurs.
4. Vous allez changer de	– soleil.
5. Cette pièce manque de	– appartement.

2.

A/ Trouvez un complément au verbe :

1. Sophie montre ......
2. Ce soir, nous écouterons ......
3. Mes sœurs ne connaissent pas ......
4. S'il te plaît, achète ......
5. Mon frère a reçu ......
6. Pense à ......
7. Tu as oublié de téléphoner à ......
8. Je n'ai jamais bien réfléchi à ......
9. Va parler à ......
10. Mon petit frère ressemble à ......
11. Virginie a peur de ......
12. Mon grand-père parle souvent de ......
13. J'ai très envie de ......
14. Cet enfant manque de ......
15. Tu as changé de ......

B/ Mettez un sujet et un verbe devant ces compléments :

1. ...... une voiture.
2. ...... tes clés dans ta poche.
3. ...... au rugby.
4. ...... du violoncelle.
5. ...... d'une bonne bière.
6. ...... à Catherine.
7. ...... de la pluie et du beau temps.
8. ...... à mes amis.
9. ...... cette jeune fille blonde.
10. ...... de temps.
11. ...... ton temps.
12. ...... à un riche propriétaire.
13. ...... les raisons de son retard.
14. ...... aux sportifs.
15. ...... de vêtements.

3.

A/ Répondez à la question posée en imitant le modèle :

Que faites-vous ?
→ *La cuisine.*
→ *Je fais la cuisine.*

1. Qu'est-ce que vous avez oublié ?
2. Qui avez-vous invité ?
3. Que lis-tu ?
4. Qui avez-vous vu à la banque ?
5. Qu'est-ce que tu bois ?

B/ Même exercice :

À qui voulez-vous parler ?
→ *À M. Lano.*
→ *Je veux parler à M. Lano.*

1. À qui ressemble-t-elle ?
2. De quoi avez-vous envie ?
3. De qui as-tu peur ?
4. À quoi pensez-vous ?
5. De quel instrument de musique joue-t-il ?

C/ Posez la question :

Le bébé sourit **à sa maman.**
→ *À qui le bébé sourit-il ?*

1. Je pense à l'accident d'hier.
2. Je bois un whisky.
3. Nous attendons des amis.
4. Nous parlons du nouveau président.
5. J'ai peur des incendies.

4. Mettez la préposition à **ou** de **devant le nom complément chaque fois que c'est nécessaire :**

1. Nous avons trouvé ...... beaucoup de champignons dans le bois.
2. Ce potage manque ...... sel.
3. Ils vont prendre ...... l'avion de 10 heures.
4. Que penses-tu ...... ce film ?
5. La France fait partie ...... la Communauté Économique Européenne.
6. Les pompiers n'ont pas réussi à éteindre ...... l'incendie.
7. J'accepte ...... votre proposition avec joie.
8. Cette caméra appartient ...... Bernard.
9. Il vient de participer ...... une conférence internationale.
10. Pourquoi changez-vous ...... voiture tous les ans ?

5. Faites une phrase complète avec chacun des verbes suivants :

1. Changer de.
2. Obéir à
3. Aimer.
4. Plaire à.
5. Avoir besoin de.
6. Écouter.
7. Ressembler à.
8. Rencontrer.
9. Profiter de.
10. Parler à.
11. Parler de.
12. Jouer à.
13. Jouer de.
14. Manquer à.
15. Manquer de.

6. Composez une phrase en utilisant les deux compléments. Imitez le modèle :

A/ *Demander quelque chose **à** quelqu'un.*

Demander – croissants – boulangère.
→ *Il demande trois croissants **à** la boulangère.*

1. Dire – vérité – femme.
2. Expliquer – fonctionnement de la machine – cliente.
3. Téléphoner – heure d'arrivée – parents.
4. Écrire – lettre – Gaston.
5. Souhaiter – bonne année – grand-mère.
6. Promettre – mariage – jeune fille.
7. Raconter – vie – journaliste.
8. Donner – timbres de collection – petit frère.
9. Offrir – fleurs – maîtresse de maison.
10. Prêter – voiture – bons conducteurs.
11. Emprunter – livres – amis.
12. Louer – appartement – vieille dame.
13. Envoyer – paquet – Justine.
14. Montrer – nouvel appareil photo – cousins.
15. Proposer – travail – chômeur.

B/ *Remercier quelqu'un* ***de*** *quelque chose.*

1. Remercier – amis – invitation.
2. Informer – locataires – une augmentation de loyer.
3. Féliciter – Éric – succès à l'examen.

C/ *Recevoir quelque chose* ***de*** *quelqu'un.*

1. Recevoir – carte postale – Frédéric.
2. Attendre – coup de téléphone – amie.
3. Obtenir – réduction – commerçant.

7. Composez une phrase en imitant le modèle. Attention, le 2e complément est un verbe à l'infinitif :

A/ *Demander* ***à*** *quelqu'un* ***de faire*** *quelque chose.*

Demander.
→ *Elle demande* ***à*** *Albert* ***de*** *mettre le couvert.*

1. Dire.
2. Permettre.
3. Défendre.
4. Promettre.
5. Conseiller.

B/ *Inviter quelqu'un* ***à faire*** *quelque chose.*

1. Inviter.
2. Obliger.
3. Aider.

C/ *Remercier quelqu'un* ***de faire*** *quelque chose.*

1. Remercier.
2. Empêcher.
3. Persuader.

8.

A/ Remplacez le nom COD par un infinitif de même sens :

Tu aimes le chant.
→ *Tu aimes* ***chanter.***

1. Aurélie déteste la marche.

2. Nous préférons la natation.
3. Ce garçon souhaite vraiment la réussite.
4. Ils désirent une boisson.
5. Ils ne veulent pas le divorce.

B/ Même exercice (attention à la préposition devant l'infinitif) :

(finir de) Il a fini son travail.
→ *Il a fini **de** travailler.*

1. *(commencer à)* Alix commence la danse.
2. *(continuer à)* Les athlètes continuent leur course.
3. *(apprendre à)* Vincent apprend le dessin.
4. *(chercher à)* Thomas cherche le sommeil.
5. *(décider de)* Nous venons de décider notre départ.
6. *(demander de)* Ils demandent un paiement en plusieurs fois.
7. *(refuser de)* Le vieil homme refuse le changement.
8. *(interdire de)* Dans ma rue, on va interdire la circulation.
9. *(arrêter de)* Les enfants arrêtent leurs jeux.
10. *(proposer de)* Maud m'a proposé une cigarette.

***C/ Remplacez l'infinitif COD par un nom de même sens en suivant le modèle :**

Elle n'a pas fini **de lire** *Notre-Dame de Paris.*
→ *Elle n'a pas fini **la lecture de*** Notre-Dame de Paris.

1. Nous avons décidé d'acheter un ordinateur.
2. Le médecin conseille d'arrêter le traitement.
3. Je commence à traduire un roman de Patrick Modiano.
4. Tu n'oublies jamais de fêter Noël.
5. Les journaux permettent d'informer les lecteurs.

9. Complétez le texte par les prépositions à ou de chaque fois que c'est nécessaire :

« Ce soir, Valérie, je te propose ...... aller au restaurant. Que penses-tu ...... cette idée ?

– Bonne idée, Bertrand ! Justement, j'avais oublié ...... faire ...... les courses pour le dîner, et je commençais ...... m'inquiéter.

– Un ami m'a parlé ...... un nouveau restaurant où l'on sert ...... des plats traditionnels.

– D'accord ! Par ce froid, j'ai besoin ...... me réchauffer, j'ai envie ...... quelque chose de bien chaud. Est-ce qu'il faut téléphoner ...... le patron pour retenir ...... une table ?

– Non. Allons-y tout de suite ! »

À table. Le garçon apporte ...... la carte ...... les jeunes gens et attend ...... leur commande. Valérie sourit ...... Bertrand :

« Ce restaurant ne manque pas ...... charme ! Regardons ...... la carte, ou plutôt demandons ... le garçon ...... nous aider ...... faire notre choix.

– Je vous conseille ...... prendre d'abord ...... une soupe à l'oignon. Elle plaît énormément ...... nos clients. Ensuite, vous devriez ...... essayer ...... le plat du jour, du veau Marengo. Enfin, je vous recommande ...... goûter ...... notre tarte Tatin.

– C'est beaucoup trop ! Donnez-nous simplement ...... un bon pot-au-feu et ...... une bouteille de vin rouge. »

19

Les verbes pronominaux

1.

A/ Mettez le verbe au présent :

Cet homme *(s'appeler)* Christian Taille.
→ *Cet homme* ***s'appelle*** *Christian Taille.*

1. Tous les matins, l'homme d'affaires *(se réveiller)* et *(se lever).*
2. Dans la salle de bains, il *(se doucher)* et *(se laver)* les cheveux.
3. Ensuite, il *(se raser)*, *(se brosser)* les dents et *(se coiffer).*
4. Puis, il *(s'habiller)* et *(s'approcher)* de la table de la cuisine.
5. Enfin, il *(s'installer)* pour prendre son petit déjeuner.

B/ Mettez les mêmes verbes au passé composé :

1. Hier matin ......
2. Dans la salle de bains, ...
3. Ensuite, ...
4. Puis, ...
5. Enfin, ...

C/ Mettez les verbes au présent. Changez le pronom complément selon la personne :

Se sentir mal et se coucher.
→ Je .... mal et je ....
→ *Je* ***me sens*** *mal et je* ***me couche****.*

1. Tu .... mal et tu ....
2. Il .... mal et il ....
3. Nous .... mal et nous ....
4. Vous .... mal et vous ....
5. Ils .... mal et ils ....

D/ Mettez les verbes au futur :

1. Un jour, le champion *(s'entraîner)*, *(se fatiguer)*, *(se faire)* mal, et il *(se reposer)* quelques semaines.

2. Pendant l'après-midi, les enfants *(s'amuser)* et *(se salir).*
3. Un jour, ma grosse Lolotte, tu *(s'inquiéter)* de ta silhouette et tu *(se nourrir)* mieux.
4. Bientôt, je *(se décider)* à partir et je *(se lancer)* dans une nouvelle aventure.
5. Vous ne *(s'habituer)* peut-être pas à votre nouvelle vie, mais vous ne *(se décourager)* pas.

E/ Mettez les verbes à l'imparfait :

1. Nous *(se promener)* dans la forêt, nous *(s'intéresser)* aux arbres.
2. Souvent, tu *(se perdre)* dans la ville ; alors, tu *(s'informer)* sur la bonne direction à prendre.
3. Debout, l'accusé *(se défendre)* avec courage puis il *(s'asseoir).*
4. Quelquefois, Julia *(s'excuser)* de son retard et *(s'installer)* à sa place.
5. Autrefois, les dessins animés *(se terminer)* toujours bien.

2. Mettez les verbes au présent :

Alain et Anne *(s'aimer)*
→ *Alain et Anne* ***s'aiment.***

1. Un jour, Alain et Anne *(se rencontrer)* pour la première fois à la piscine.
2. D'abord, ils *(se regarder)* ; ensuite, ils *(se parler).*
3. Puis, ils *(se souhaiter)* une bonne soirée.
4. Ils *(se tendre)* la main et ils *(se quitter).*
5. Le lendemain, ils *(se téléphoner)* et ils *(se revoir).*
6. Pendant quelque temps, ils *(s'entendre)* bien, ils *(se sentir)* bien ensemble, ils *(se plaire).*
7. Mais, un jour, ils ne *(se comprendre)* plus, ils *(se disputer)*, et même ils *(se battre).*
8. Ils *(se séparer)*, mais ils ne *(s'oublier)* pas.
9. Plus tard, ils *(s'écrire)* et, peu à peu, ils *(se connaître)* mieux.
10. Deux ans après, ils *(se marier).*

3. Mettez les verbes au temps indiqué :

Présent – L'animal *(se sauver)*
→ *L'animal* ***se sauve.***

1. *Présent* – À la fin du film, les gens *(s'en aller).*
2. *Présent* – L'homme est en retard : il *(se dépêcher)*, il *(se mettre)* à courir.
3. *Futur* – Un jour, tu *(s'apercevoir)* de ton erreur.
4. *Imparfait* – Cette vieille dame *(se plaindre)* tout le temps de sa santé.
5. *Futur* – Demain, je *(s'arrêter)* de fumer, et je *(se passer)* de tabac.
6. *Présent* – Ici, nous *(se trouver)* dans un site historique.
7. *Présent* – Le public crie « Bravo » puis il *(se taire).*
8. *Passé composé* – Que *(se passer)*-il ?
9. *Futur* – Dans quelques années, tu *(se souvenir)* de cette aventure.
10. *Passé composé* – L'oiseau *(se rendre compte)* du danger et *(s'envoler).*
11. *Imparfait* – Anne *(s'évanouir)* plusieurs fois par jour.
12. *Passé composé* – Jean *(ne jamais se servir)* de ce tire-bouchon.
13. *Imparfait* – Rémi *(s'occuper)* de ses enfants chaque soir.
14. *Présent* – Tu *(se moquer)* tout le temps de ton cousin Gérard.
15. *Passé composé* – Vous *(se fâcher)* et l'enfant *(se mettre)* à pleurer.

4. Construisez les phrases au présent avec les éléments donnés :

(aller se retrouver) Nous ......
→ *Nous allons* ***nous*** *retrouver.*

1. *(vouloir s'en aller)* Je ......
2. *(pouvoir se taire)* Est-ce que tu ...... ?
3. *(devoir se rendre à Tokyo)* Nous ......
4. *(savoir s'occuper d'un enfant)* Est-ce que vous ...... ?
5. *(préférer ne pas se promener le soir)* Ils ......
6. *(détester se coucher tôt)* Nous ......
7. *(aller bientôt se terminer)* Ce discours ......
8. *(venir de se faire mal)* La fillette ......
9. *(commencer à s'inquiéter)* Tes parents ......
10. *(continuer à s'entraîner tous les matins)* Est-ce que tu ...... ?

***5.**

A/ Mettez les verbes aux temps indiqués :

Sentir *(présent)* – Les roses ...... bon.
→ *Les roses sentent bon.*
Se sentir bien *(passé composé)* – Après sa chute de cheval, Patrick ...... mal.
→ *Après sa chute de cheval, Patrick s'est senti mal.*

1. ***Apercevoir*** *(passé composé)* – Gilles ...... sa petite amie dans la rue.
   S'apercevoir de *(futur)* – Face au danger, il ...... de ton courage.
2. ***Mettre*** *(impératif)* – Il fait froid ce soir, ... tes gants.
   Se mettre à *(présent)* – Les oiseaux ...... à chanter tôt le matin.
3. ***Décider de*** *(passé composé)* – Elle ...... de quitter son mari.
   Se décider à *(passé composé)* – Après un long silence, l'homme ...... à parler.
4. ***Trouver*** *(passé composé)* – Je ...... un portefeuille par terre.
   Se trouver à *(présent)* – La tour Eiffel ...... à Paris.
5. ***Attendre*** *(présent)* – Nous ...... un coup de fil depuis midi.
   S'attendre à *(imparfait)* – Ils ...... à gagner le match, mais ils l'ont perdu.
6. ***Servir à*** *(présent)* – Un torchon ...... à essuyer la vaisselle.
   Se servir de *(présent)* – Est-ce que vous ...... de cet ordinateur tous les jours ?
7. ***Passer*** *(passé composé)* – Elle ...... son baccalauréat avant-hier.
   Se passer de *(présent)* – Tu es raisonnable, tu ...... d'alcool.
8. ***Prendre*** *(passé composé)* – Ils ...... le dernier métro.
   Se prendre pour *(présent)* – Katya ...... pour Catherine Deneuve.
9. ***Rendre*** *(présent)* – Les caissières ...... la monnaie aux clients.
   Se rendre à *(passé composé)* – Diego ...... à la Préfecture de Police pour la troisième fois.
10. ***Entendre*** *(présent)* – Ce vieillard est sourd, il ne ...... rien.
    S'entendre bien *(imparfait)* – Avant les élections, ces deux hommes politiques ...... bien, maintenant ils sont fâchés.

B/ Racontez deux petites histoires en utilisant les verbes suivants :

1. Laurence attendre un ami – s'apercevoir de son retard – décider de partir – se rendre à son bureau – trouver un message.
2. C'est mon anniversaire. Je – s'attendre à une surprise – entendre sonner – se mettre à courir et ouvrir la porte – apercevoir un gros bouquet de fleurs et trois têtes – prendre les fleurs et se décider à faire entrer mes amis – servir à boire à tout le monde – mettre un disque. Nous – passer un très bon après-midi.

N.B. Voir le chapitre 21 pour l'accord des participes passés des verbes pronominaux.

Les pronoms personnels

1.	Pronoms personnels toniques (**moi**, **toi**, etc.)
2.	**Le, la, les l'.** Pronoms personnels COD
3.	**Lui, leur (à lui, à elle, à eux, à elles** et **de lui,** etc.) Pronoms personnels COI
4.5.	**En,** COD, COI ou complément de lieu
6.	**Y,** COI ou complément de lieu
7.	Impératif
8 à 14	Révision
15.	**Me, te, se, nous, vous.** Pronoms personnels COD
16.	**Me, te, se, nous, vous (à moi, à toi, à nous, à vous** et **de moi,** etc.). Pronoms personnels COI
17.	Impératif
18.	Révision
19.	Place des doubles pronoms
20.	Impératif
21.	Révision
22.23.	Verbes suivis d'un infinitif. Place des pronoms
24.	Impératif
25.26.27	Révision finale

1. Remplacez les pointillés par le pronom personnel tonique qui convient :

A/ *Moi, j'aime rire, **toi**, tu es toujours triste.*

1. ......, je danse, je chante.
2. ......, tu n'aimes pas rire, tu n'aimes pas jouer.
3. ......, vous n'allez pas souvent au cinéma.
4. ......, nous n'allons jamais à l'Opéra.
5. Véronique, ..., fait des études de médecine.
6. Patrick, ..., étudie le droit.
7. Les enfants de ma sœur, ..., ne veulent pas faire d'études.
8. Mes cousines, ..., font très bien la cuisine.

9. ......, tu aimes aller au café.
10. ......, je préfère rester chez moi.

B/ 1. Regarde ce bouquet ! Je l'ai fait pour ......
2. Nous allons au théâtre. Voulez-vous venir avec ...... ?
3. Mes enfants ? Je ne pars jamais en vacances sans ......
4. Tu vois ce camion ? Ma voiture est garée derrière ......
5. Est-ce que vous me permettez de m'asseoir à côté de ...... ?
6. Je vous invite à dîner chez ...... ce soir.
7. Philippe est devant sa belle-mère, juste devant ......
8. Est-ce que ce studio appartient à tes cousines ? Non, il n'est pas à ......
9. Il est venu vers ...... et m'a embrassée.
10. Je ne peux pas supporter d'être loin de ......

2. Choisissez une réponse affirmative ou négative en remplaçant le complément d'objet direct par un pronom :

Est-ce que tu aimes **la neige ?**
→ *Oui, je L'aime.*
→ *Non, je ne L'aime pas.*

A/ 1. Voyez-vous le gros nuage noir ?
2. Regardes-tu les étoiles ?
3. Est-ce que vous entendez le tonnerre ?
4. Craignez-vous les orages ?
5. Est-ce que Jacques déteste la pluie ?

B/ 1. Connaissez-vous cet acteur ?
2. Écoutes-tu souvent ce disque ?
3. Achèteras-tu ces boucles d'oreille ?
4. Croyez-vous cette personne ?
5. Mangeras-tu ce croissant ?

C/ 1. Est-ce que Victor perd ses cheveux ?
2. Met-il souvent son chapeau ?
3. Est-ce que tu portes toujours ta bague ?
4. Emporteras-tu tes lunettes de soleil ?
5. As-tu trouvé mon livre ?

D/ 1. Est-ce que Paul regarde tendrement Virginie ?
2. Tristan aimait-il Yseult ?
3. Est-ce que Don Juan séduit Elvire ?
4. Roméo adorait-il Juliette ?
5. Est-ce que David a tué Goliath ?

***E/**

Est-ce que tu as écouté **cette chanson** ?
→ *Oui, je L'ai écoutée.*
→ *Non, je ne L'ai pas écoutée.*

1. Est-ce que tu as visité cette ville ?
2. Est-ce que tu as aimé ces acteurs ?
3. Est-ce que vous avez regardé cette émission ?
4. Est-ce que tu as cherché tes lunettes ?
5. Est-ce que Peter a épousé Émilie ?

3. Choisissez une réponse affirmative ou négative en remplaçant le complément d'objet indirect par le pronom qui convient :

A/ Est-ce que Sylvie a parlé **à Gérard** ? (**à Stéphanie** ?)
→ *Oui, elle **lui** a parlé.*
→ *Non, elle ne **lui** a pas parlé.*

1. Est-ce que le bébé ressemble à son père ?
2. As-tu téléphoné aux Pasquier ?
3. Rendras-tu visite à ta tante ?
4. Éric, as-tu dit merci à tes grands-parents ?
5. Est-ce que cette jeune femme a souri à Hervé ?
6. Est-ce que vous avez rendu service à ces gens ?
7. Est-ce que Nicolas obéit à son père ?
8. Est-ce que tu as écrit à tes copains ?
9. Est-ce que vous avez répondu à Bertrand ?
10. Est-ce que Pauline plaît à Grégoire ?

B/ Est-ce que tu penses **à Gérard** ? (**à Stéphanie** ?)
→ *Oui, je pense **à lui (à elle).***
→ *Non, je ne pense pas **à lui (à elle)**.*

1. Est-ce que vous avez pensé à Marianne ?
2. Est-ce qu'elle pense un peu à ses enfants ?
3. Est-ce qu'elle tient à son mari ?
4. Est-ce que tu tiens à tes neveux ?
5. Est-ce qu'il s'intéresse à cette fille ?

C/ Est-ce que tu parles souvent **de Gérard** ? (**de Stéphanie** ?)
→ *Oui, je parle souvent **de lui (d'elle)**.*
→ *Non, je ne parle pas souvent **de lui (d'elle)**.*

1. Est-ce qu'il parle souvent de ces actrices ?
2. Est-ce que tu as besoin de tes amis ?
3. Avez-vous peur de cet homme ?
4. Est-ce qu'il est fier de son fils ?
5. Est-ce qu'elle s'occupe bien de sa petite sœur ?

4. Choisissez une réponse affirmative ou négative en remplaçant le complément d'objet direct par le pronom en **:**

A/ Pierre a-t-il mangé **un fruit** ?
→ *Oui, il **en** a mangé **un**.*
→ *Non, il n'**en** a pas mangé.*

1. Est-ce que vous avez un frère ?
2. Veux-tu un verre d'eau ?
3. Vois-tu une signature sur ce tableau ?
4. Ferez-vous un voyage cet été ?
5. As-tu bu une coupe de champagne ?

B/ As-tu acheté **des disques de jazz** ?
→ *Oui, j'**en** ai acheté.*
→ *Non, je n'**en** ai pas acheté.*

1. As-tu cueilli des fleurs ?
2. Dites-vous souvent des mensonges ?

3. Lis-tu parfois des poèmes ?
4. Est-ce que tu écriras des lettres ?
5. Est-ce que tu écoutes des chansons ?

C/

Combien **d'amis véritables** as-tu ?
→ *J'**en** ai trois ou quatre.*
→ *Je **n'en** ai **aucun**. Je **n'en** ai **pas un seul**.*

1. Combien d'enfants ont tes voisins ?
2. Combien de cigarettes fumes-tu par jour ?
3. Combien de films vois-tu chaque mois ?
4. Combien de pays visiteras-tu cette année ?
5. Combien de sucres mets-tu dans ton café ?

D/

Éric a-t-il pris **quelques photos** ?
→ *Oui, il **en** a pris **quelques-unes**.*
→ *Non, il **n'en** a pris **aucune**.*
As-tu trouvé **plusieurs solutions ?**
→ *Oui, j'**en** ai trouvé **plusieurs**.*
→ *Non, je **n'en** ai trouvé **aucune**.*

1. As-tu vu plusieurs films ce mois-ci ?
2. Avez-vous pris quelques places pour le match de tennis ?
3. Avez-vous lu plusieurs livres de Marguerite Duras ?
4. As-tu encore quelques tickets de métro ?
5. Avez-vous encore quelques bouteilles de champagne ?

E/

Veux-tu **de la confiture** ?
→ *Oui, j'**en** veux.*
→ *Non, je n'**en** veux pas.*

1. Avez-vous du temps ?
2. François a-t-il de l'argent ?
3. As-tu acheté de la farine ?
4. Bois-tu souvent du whisky ?
5. Reprendrez-vous des petits pois ?

F/

Julien a-t-il **beaucoup d'amis** ?
→ *Oui, il **en** a **beaucoup**. Non, il **n'en** a **pas beaucoup**.*
→ *Non, il **en** a **peu**. Il **n'en** a **pas du tout**.*

1. Lisez-vous beaucoup de livres ?
2. Veux-tu un peu de sel ?
3. Aurez-vous assez d'argent ?
4. Est-ce que Catherine boit trop d'alcool ?
5. Prendrez-vous un peu de lait dans votre café ?

5.

A/ Choisissez une réponse affirmative ou négative en remplaçant le complément d'objet indirect par le pronom en **:**

As-tu envie **de ce bracelet ?**
→ *Oui, j'**en** ai envie.*
→ *Non, je n'**en** ai pas envie.*

1. Martine a-t-elle besoin de l'ordinateur de son mari ?
2. Jouez-vous du violon ?

3. Avez-vous peur des souris ?
4. Les Duval parlent-ils souvent de leur yacht ?
5. Faites-vous partie de ce club de tennis ?

B/ Répondez en remplaçant le complément de lieu par le pronom en **:**

À quelle heure sortiras-tu **du théâtre ?**
→ *J'**en** sortirai à minuit.*

1. Viens-tu de Londres ?
2. Revenez-vous du Liban ?
3. Est-ce qu'elle vient d'Italie ?
4. À quelle heure est-il sorti du cinéma ?
5. Quand sortiras-tu de ton lit ?

6.

A/ Répondez en remplaçant le complément d'objet indirect par le pronom y **:**

Croyez-vous **au progrès ?**
→ *Oui, j'**y** crois.*
→ *Non, je n'**y** crois pas.*

1. Avez-vous pensé à notre conversation ?
2. Avez-vous réfléchi à ma proposition ?
3. Est-ce que tu as assisté à cette réunion ?
4. Est-ce que tu penseras au rendez-vous ?
5. Est-ce qu'elle tient à ses bijoux ?

B/ Répondez en remplaçant le complément de lieu par le pronom y **:**

Vas-tu **à la gare ?**
→ *Oui, j'**y** vais. Non, je n'**y** vais pas.*

Attention au futur : Iras-tu **à la gare ?**
→ *Oui, j'irai. Non, je n'irai pas.*

1. Allez-vous souvent au marché ?
2. Le chat est-il sur le balcon ?
3. Es-tu déjà allé en Égypte ?
4. Iras-tu bientôt dans cette région ?
5. Habitez-vous toujours à Toulouse ?

7. Remplacez le complément par un pronom, puis mettez la phrase à l'impératif négatif :

A/

Attrape **le ballon !**
→ *Attrape-**le** ! Ne **l'**attrape pas !*

1. Fermez la porte !
2. Appelle l'ascenseur !
3. Attends tes copains !
4. Mets tes chaussures !
5. Range cette boîte de chocolats !

B/

Téléphone **à Éric !**
→ *Téléphone-**lui** ! Ne **lui** téléphone pas !*

1. Écris à ton cousin !
2. Réponds à ces gens !

3. Souriez aux clients !
4. Explique à Gérard où j'habite !
5. Dis à Sylvain que j'arriverai tard !

C/

Achète **du vin !**
→ *Achète**s**-**en** ! N'**en** achète pas !*

1. Mange du miel !
2. Bois du lait chaud !
3. Prends des médicaments !
4. Parle de ton pays !
5. Sors de ton lit !

D/

Pense **à mon invitation !**
→ *Pense**s**-**y** ! N'**y** pense pas !*

1. Reste dans ta chambre !
2. Va à la poste !
3. Allez dans le jardin !
4. Pensez à vos études !
5. Réfléchissez à cette solution !

8. Remplacez le complément par le pronom qui convient :

1. J'écoute ce chanteur.
2. Je parle à ce chanteur.
3. Il surveille les enfants.
4. Il répond aux enfants.
5. Elle regarde sa petite fille.
6. Elle sourit à sa petite fille.
7. Paul séduit Virginie.
8. Il plaît à Virginie.
9. Nicolas adore sa mère.
10. Mais il n'obéit pas à sa mère.

9. Répondez en remplaçant le complément par le pronom qui convient :

1. Vois-tu ces bateaux ?
2. Vois-tu des bateaux ?
3. Mangeras-tu ce kiwi ?
4. Mangeras-tu un kiwi ?
5. Achèteras-tu cette voiture ?
6. Achèteras-tu une voiture ?
7. As-tu trouvé mes clés ?
8. As-tu trouvé des clés ?
9. As-tu écouté la musique de ce film ?
10. As-tu écouté de la musique ?

10. Même exercice :

1. Est-ce que tu as téléphoné à Gaston ?
2. Est-ce que tu as réfléchi à son projet ?
3. Est-ce que tu as écrit à Élodie ?
4. Est-ce que tu assisteras à son mariage ?
5. Est-ce que vous avez répondu à Lucien ?

6. Est-ce qu'il habite toujours à Londres ?
7. Est-ce que tu penses à Arthur ?
8. Est-ce que tu penses à sa proposition ?
9. Est-ce que tu tiens à Raphaël ?
10. Est-ce que tu tiens à ce rendez-vous ?

11. Répondez en remplaçant le complément par un pronom :

Y a-t-il **un pilote** dans l'avion ?
→ *Oui, il y **en** a **un**.*
→ *Non, il n'y **en** a pas.*

1. Y a-t-il une tempête ?
2. Est-ce qu'il y a des averses ?
3. Est-ce qu'il y aura du soleil demain ?
4. Est-ce qu'il y aura beaucoup de soleil ?
5. Y a-t-il de la neige sur le toit ?
6. Est-ce qu'il y a eu un accident ?
7. Est-ce qu'il y a plusieurs blessés ?
8. Est-ce qu'il y a eu une représentation hier ?
9. Y avait-il quelques spectateurs dans la salle ?
10. Y avait-il assez de place ?

12. Répondez en employant le pronom qui convient :

1. Est-ce que vous allez au Canada ?
2. Est-ce que vous venez du Canada ?
3. Est-ce que tu es resté longtemps à l'aéroport ?
4. Est-ce que tu es sorti de l'aéroport avant moi ?
5. Est-ce qu'ils habitent aux États-Unis ?
6. Est- ce qu'ils reviennent des États-Unis ?
7. Est-ce que tu as réfléchi à ce problème ?
8. Est-ce que tu as parlé de ce problème ?
9. Est-ce que tu penses à l'avenir ?
10. Est-ce que tu as peur de l'avenir ?

13. Même exercice :

1. Est-ce que vous avez besoin de votre ordinateur ?
2. Est-ce que vous avez besoin de votre jeune fille au pair ?
3. Est-ce que tu parleras de ton voyage ?
4. Est-ce que tu parleras de ton mari ?
5. Est-ce que tu as peur des orages ?
6. Est-ce que tu as peur des policiers ?
7. Est-ce qu'il est content de sa nouvelle secrétaire ?
8. Est-ce qu'il est content de sa nouvelle voiture ?
9. Est-ce qu'il est fier de son fils ?
10. Est-ce qu'il est fier de sa réussite ?

14. Remplacez le complément par le pronom qui convient :

1. Téléphone à Charles !
2. Va chez Charles !

3. Sors avec Charles !
4. Ne dis rien à Laurent !
5. Ne réponds pas à tes copains !
6. Pense à Charles !
7. N'aie pas peur de Charles !
8. Parle de tes problèmes !
9. Va au restaurant !
10. Pense à cela !

15. Choisissez une réponse affirmative ou négative en employant le pronom COD qui convient :

A/

Est-ce que vous **nous** écoutez ?
→ *Oui, nous **vous** écoutons.*

1. Est-ce que vous nous croyez ?
2. Est-ce que vos voisins vous invitent parfois ?
3. M'entends-tu ? Me vois-tu ?
4. Est-ce que tu m'aimes ? Est-ce que tu m'épouseras ?
5. Est-ce que Julien te déteste vraiment ?

B/

Est-ce que vous **nous** avez bien écouté(e)s ?
→ *Oui, nous **vous** avons bien écouté(e)s.*

1. Est-ce que tu m'as compris(e) ?
2. Est-ce que vous nous avez vu(e)s au cinéma hier ?
3. Catherine, est-ce que Victor t'a regardée ?
4. Est-ce qu'il vous a remercié(e)s ?
5. Est-ce qu'il nous a invité(e)s ?

C/

Est-ce que vous **vous** coucherez tôt ce soir ?
→ *Non, je ne **me** coucherai pas très tôt.*

1. Est-ce que vous vous lèverez tard demain ?
2. Est-ce que nous nous verrons pendant les vacances ?
3. Est-ce que tu te promèneras cet après-midi ?
4. Est-ce que Nicolas et Éric se détesteront toujours ?
5. Paul et Virginie s'aimaient-ils ?

16. Choisissez une réponse affirmative ou négative en employant le pronom COI qui convient :

A/

Est-ce que tu **me** téléphoneras ?
→ *Oui, je **te** téléphonerai.*

1. Est-ce que tu m'écriras ?
2. Et moi, est-ce que je te répondrai ?
3. Est-ce que tu nous répéteras toujours la même chose ?
4. Est-ce que Gustave te plaît ?
5. Est ce que Pauline vous rend visite quelquefois ?

B/

Est-ce qu'il **vous** a téléphoné ?
→ *Oui, il **nous** a téléphoné.*

1. Est-ce qu'il vous a écrit ?
2. Est-ce qu'il t'a répondu ?
3. Est-ce que tu m'as parlé ?

4. Est-ce que vous nous avez demandé quelque chose ?
5. Est-ce que ton fils t'a obéi ?

C/

Est-ce que vous **vous** écrivez souvent ?
→ *Non, nous ne **nous** écrivons pas souvent.*

1. Est-ce que vous vous téléphonez tous les jours ?
2. Est-ce que Nicolas et Éric se sont dit bonjour ?
3. Est-ce que tu te demandes pourquoi il ne vient pas ?
4. Est-ce que nous nous sommes déjà parlé ?
5. Est-ce que Thomas et toi, vous vous plaisez ?

D/

Est-ce que tu penseras **à moi** ?
→ *Oui, je penserai **à toi**.*

1. Est-ce que tu tiens à moi ?
2. Est-ce que vous avez pensé à nous ?
3. Est-ce qu'il s'intéresse à toi ?
4. Est-ce qu'elle pense souvent à vous ?

E/

Est-ce que tu as peur **de moi** ?
→ *Non, je n'ai pas peur **de toi**.*

1. Est-ce que tu as besoin de moi ?
2. Est-ce qu'il a parlé de vous ?
3. Est-ce que vous êtes content de nous ?
4. Est-ce que ton père est fier de toi ?

17.

A/ Mettez les verbes à l'impératif négatif :

Regarde-**moi** !
→ *Ne **me** regarde pas !*

1. Écoute-moi !
2. Écris-nous !
3. Assieds-toi !
4. Laisse-moi seul !
5. Mettez-vous là !
6. Téléphone-moi !
7. Présente-moi ton mari !
8. Lève-toi !
9. Habillez-vous !
10. Pense à nous !

B/ Mettez les verbes à l'impératif affirmatif :

Ne **nous** regardez pas !
→ *Regardez-**nous** !*

1. Ne nous écrivez pas !
2. Ne me suivez pas !
3. Ne vous asseyez pas là !
4. Ne te couche pas !
5. Ne nous dis rien !
6. Ne me donne rien !
7. Ne m'embrasse pas !

8. Ne pense pas à moi !
9. Ne me réponds pas !
10. Ne nous attendez pas !

18.

A/ **Employez les pronoms** me, te, nous, vous **dans de courtes phrases avec les verbes suivants :**

1. Proposer.
2. Aider.
3. Téléphoner.
4. Comprendre.
5. Plaire.
6. Inviter.
7. Répondre.
8. Oublier.
9. Écrire.
10. Parler.

*B/ **Mettez les verbes entre parenthèses au passé composé. (Attention à l'accord du participe passé) :**

Catherine et son amie bavardent.

Catherine : « Cyril me *(voir)* dans la rue. Il me *(appeler)*, il me *(parler)*, il me *(raconter)* sa vie, ses problèmes. Puis il me *(quitter)* car il était pressé.

Il me *(téléphoner)* peu après, il me *(donner)* rendez-vous. Il me *(proposer)* une soirée dans un cabaret. Là, il me *(regarder)* longuement, il me *(interroger)*, il me *(écouter)*, il me *(demander)* comment je vivais. Il me *(dire)* qu'il voulait me revoir. Il me *(promettre)* de me téléphoner tous les jours. »

19. Choisissez une réponse affirmative ou négative en employant des pronoms :

A/

Indiqueras-tu **le chemin à Bertrand** ?
→ *Oui, je* ***le lui*** *indiquerai.*
→ *Non, je ne* ***le lui*** *indiquerai pas.*

1. Est-ce que vous remettrez cette lettre au directeur ?
2. Est-ce que vous raconterez cette aventure à vos parents ?
3. Prêtes-tu parfois ta voiture à Christine ?
4. Est-ce que nous réclamerons notre argent à Christophe ?
5. Rendras-tu leurs disques à tes copains ?
6. Est-ce que vous laissez souvent vos clés à la concierge ?
7. Est-ce que vous annoncerez cette nouvelle à vos amis ?
8. Est-ce que tu montres tous tes articles à ton directeur ?
9. Est-ce que tu joueras cette sonate à ton professeur ?
10. Est-ce que tu offriras ces jouets aux enfants ?

B/

Est-ce que tu **me** donneras **ton adresse** ?
→ *Oui, je* ***te la*** *donnerai.*
→ *Non, je ne* ***te la*** *donnerai pas.*

1. Est-ce que tu me fais cette promesse ?
2. Est-ce que vous nous présenterez votre associé ?
3. Est-ce que Julie vous rapportera vos affaires ?
4. Est-ce qu'on t'a expliqué le mode d'emploi ?
5. Est-ce que vous me dites la vérité ?
6. Est-ce que tu nous raconteras cette histoire ?

7. Est-ce que Paul nous prêtera sa maison de campagne ?
8. Est-ce que tu m'offriras ce manteau de vison ?
9. Est-ce que vous nous préparerez le repas ?
10. Est-ce que tu m'achèteras ce disque ?

C/ As-tu demandé **de l'argent à ton père** ?
→ *Oui, je **lui en** ai demandé.*
→ *Non, je ne **lui en** ai pas demandé.*

1. As-tu acheté des glaces aux enfants ?
2. Est-ce que Marc offrira une bague à sa femme ?
3. Est-ce que vous me donnerez parfois de vos nouvelles ?
4. Est-ce que François nous apportera des gâteaux ?
5. Est-ce que tu t'occupes de cette affaire ?
6. Est-ce que Philippe s'inquiète de ton absence ?
7. Est-ce que ta cousine se plaint de son travail ?
8. Est-ce que vous vous moquez de mes difficultés ?
9. Est-ce que tu t'es excusé de ton retard ?
10. Est-ce que tu me racontes des histoires ?

D/ Est-ce que tu emmèneras **les enfants à l'école** ?
→ *Oui, je **les y** emmènerai.*

1. Est-ce que vous mettrez vos bijoux au coffre ?
2. Est-ce que tu as rangé le livre dans la bibliothèque ?
3. Est-ce que Brigitte s'habitue au froid ?
4. Est-ce que les jeunes s'intéressent tous au jazz ?
5. Est-ce que nous nous opposerons toujours à ses idées ?

20. Remplacez le complément par le pronom qui convient, puis mettez le verbe à l'impératif négatif :

A/ Donne **cette rose à la chanteuse** !
→ ***Donne-la-lui** ! Ne **la lui** donne pas !*

1. Offre cette cravate à ton mari !
2. Demande ces adresses à tes amis !
3. Remettez ce dossier au directeur !
4. Cachez la vérité à vos grands-parents !
5. Propose ces chocolats à tante Amélie !

B/ Prête-**moi ton stylo** !
→ *Prête-**le-moi** ! Ne **me le** prête pas !*

1. Donne-moi la main !
2. Dis-nous la vérité !
3. Présentez-nous vos beaux-parents !
4. Apportez-moi ce document !
5. Sèche-toi les cheveux !

C/ Donne-**moi du vin** !
→ *Donne-**m'en** ! Ne **m'en** donne pas !*

1. Parle-moi de cette exposition !
2. Occupe-toi de cette affaire !
3. Achète-nous du fromage !

4. Demande-lui de l'argent !
5. Envoyez-nous beaucoup de lettres !

D/ Remplacez le complément par le pronom convenable :

Parle-**moi de tes enfants** !
→ *Parle-**moi d'eux** !*

Parle-**moi de tes problèmes** !
→ *Parle-**m'en** !*

1. Parle-nous de Sébastien !
2. Parle-nous de tes vacances !
3. Occupe-toi de ton petit frère !
4. Occupe-toi de ton déménagement !
5. Ne te moque pas de ta sœur !
6. Ne te moque pas de sa bêtise !
7. Ne te plains pas toujours de ton patron !
8. Ne te plains pas toujours de ta santé !
9. Intéressez-vous à cette actrice !
10. Ne vous intéressez pas à cela !

***21. Choisissez une réponse affirmative ou négative en employant les pronoms qui conviennent (attention à l'accord du participe passé) :**

1. Racontes-tu tes histoires à tes parents ?
2. Racontes-tu des histoires à tes parents ?
3. Quand offrira-t-il ces bijoux à sa femme ?
4. Quand offrira-t-il des bijoux à sa femme ?
5. Est-ce que tu m'as envoyé cette carte postale ?
6. Est-ce que tu m'as envoyé une carte postale ?
7. Est-ce que vous me donnerez l'adresse de votre hôtel ?
8. Est-ce que vous me donnerez une adresse d'hôtel ?
9. Renaud t'a-t-il expliqué ses problèmes ?
10. Renaud t'a-t-il parlé de ses problèmes ?

22. Choisissez une réponse affirmative ou négative en employant le pronom qui convient :

A/

Sais-tu jouer **cette sonate** ?
→ *Oui, je sais **la** jouer.*

1. Veux-tu voir ce film ?
2. Est-ce que tu vas écrire à tes cousins ?
3. Va-t-elle ouvrir la porte ?
4. Allez-vous réveiller les enfants ?
5. Est-ce que tu as pensé à répondre à Étienne ?

B/

Veux-tu manger **du caviar** ?
→ *Non, je ne veux pas **en** manger.*

1. Voulez-vous boire du champagne ?
2. Peux-tu entrer au casino ?
3. Vas-tu réfléchir à ma proposition ?
4. Savez-vous faire du ski nautique ?
5. Est-ce que tu commences à penser à ton avenir ?

C/ Est-ce que je dois **t'**écrire ?
→ *Oui, tu dois **m'**écrire.*

1. Est-ce que je peux te téléphoner ce soir ?
2. Est-ce que vous voulez m'écouter ?
3. Est-ce que vous pouvez nous comprendre ?
4. Est-ce qu'il vient de vous dire quelque chose ?
5. Est-ce que Nicolas et Armelle vont se plaire ?

D/ Pouvez-vous remettre **cette lettre à Monsieur Vidal** ?
→ *Bien sûr, je peux **la lui** remettre.*

1. Vas-tu offrir cette horrible cravate à Alexandre ?
2. As-tu l'intention de faire un cadeau à Hélène ?
3. Est-ce que Sylvie saura s'adapter à sa nouvelle vie ?
4. Vas-tu enfin me dire la vérité ?
5. Est-ce que tu aimes t'occuper des affaires des autres ?

E/ Laissez-vous dormir **le bébé** ?
→ *Oui, je **le** laisse dormir.*

1. Laissez-vous votre fils sortir seul le soir ?
2. As-tu fait réparer le poste de télévision ?
3. Ferez-vous faire des travaux dans votre studio ?
4. Laisserez-vous votre fille partir en auto-stop ?
5. Est-ce que le commerçant fait venir des oranges du Maroc ?

***23. Choisissez une réponse affirmative ou négative en employant le pronom qui convient :**

1. Est-ce que vous devez porter des lunettes ?
2. Les Dunod vont-ils louer ce studio ?
3. Est-ce qu'on laissera dormir de l'argent à la banque ?
4. Est-ce que Frédéric voulait te parler ?
5. Est-ce que vous venez d'assister à cette conférence ?
6. Est-ce que tu as oublié de répondre à ton avocat ?
7. Est-ce que tu vas arrêter de parler de ta femme ?
8. Est-ce que tu vas arrêter de parler d'argent ?
9. Est-ce que Stéphanie commence à penser à ses examens ?
10. Est-ce que Julie va enfin penser à son bébé ?

24.

A/ Remplacez le complément par un pronom, puis mettez la phrase à l'impératif négatif :

Va voir **ce film** !
→ *Va **le** voir ! Ne va pas **le** voir !*

1. Va surveiller les enfants !
2. Va téléphoner à Damien !
3. Va faire du tennis!
4. Va montrer tes photos à Delphine !
5. Va donner des informations au touriste !

B/ Même exercice (attention à la place du pronom à l'impératif négatif) :

Laisse jouer **les enfants** !
→ *Laisse-**les** jouer ! Ne **les** laisse pas jouer !*

1. Laissez courir le chien !
2. Fais réparer la machine à laver !
3. Faites entrer la personne suivante !
4. Laissez entrer quelques personnes !
5. Fais taire cet enfant !

25. Remplacez les pointillés par les pronoms qui conviennent, puis choisissez une réponse affirmative ou négative :

J'ai étudié ce dossier, et toi, ... as-tu étudié aussi ?
→ *J'ai étudié **ce dossier**, et toi, **l'**as-tu étudié aussi ?*
→ *Oui, je **l'**ai étudié. Non, je ne **l'**ai pas étudié.*

1. J'ai déjà vu ce film, et toi, ... as-tu vu ?
2. J'ai téléphoné à Cyril, et toi, ... as-tu téléphoné ?
3. J'ai acheté des chocolats, et toi, ... as-tu acheté ?
4. Je suis allé à la piscine, et toi, ... es-tu allé ?
5. J'ai besoin de ce dictionnaire, et toi, ... as-tu besoin ?
6. J'ai annoncé cette nouvelle à nos amis, et toi, ... as-tu annoncée ?
7. J'ai envoyé une carte postale à mon patron, et toi, ... as-tu envoyé une ?
8. Je m'intéresse à la peinture moderne, et toi, ... intéresses-tu ?
9. Antoine m'a prêté de l'argent, et toi, ... a-t-il prêté ?
10. Yves m'a montré son nouveau bateau, et toi, ... a-t-il montré ?

26. Remplacez les pointillés par le pronom qui convient :

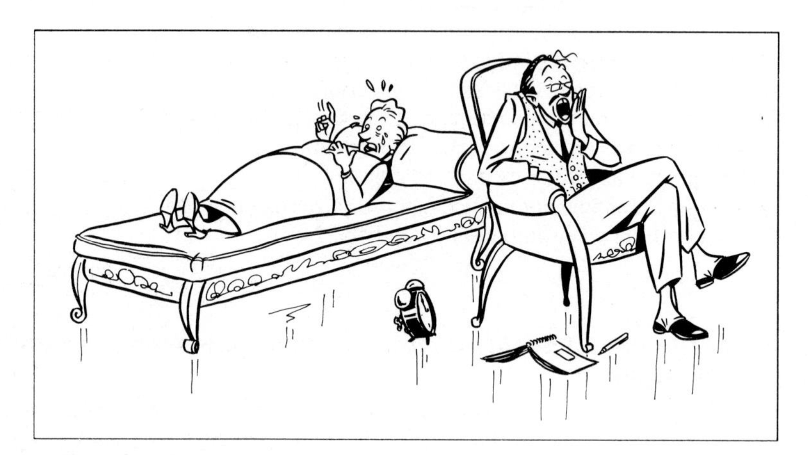

Sur le divan du psychanalyste :

« Bonjour, docteur.
– Bonjour, madame, asseyez-....... Que puis-...... faire pour ...... ?
– Docteur, ma vie est un enfer : ...... ne mange plus, ... ne dors plus, je ...... en prie, aidez-...... !

– Madame, installez-...... ici (et il ...... montre le divan).
Allongez-......, fermez les yeux et racontez-...... tout.
– Docteur, mon mari ne ...... regarde pas, ... ne ...... voit pas.
Je ...... parle, il ne ...... écoute pas, je ...... interroge, il ne ...... répond pas.
Mon anniversaire ? Il ...... oublie toujours.
Des cadeaux ? Il ne .... fait aucun.
Au restaurant, au cinéma ? Nous n'...... allons jamais.
Des amis ? Nous n'...... recevons pas.
Des voyages ? Nous n'...... faisons plus.
Docteur, je ...... en supplie, conseillez-...... !
Dites-...... ce que ...... dois faire, ce que je dois ...... dire. Je ...... aime encore, mais je crois que, bientôt, ... vais ...... détester. »

27. Répondez aux questions d'Éric en employant des pronoms :

Éric « drague » au jardin.
« Salut ! Tu as du feu ?
– ......
– Tu veux une cigarette ?
– ......
– Est-ce que je peux m'asseoir à côté de toi ?
– ......
– Je me présente : Éric Lebeau. Et toi, comment t'appelles-tu ?
– ......
– Tu viens souvent dans ce jardin ?
– ......
– Tu as vu le dernier film de Milos Forman ?
– ......
– Tu veux voir ce film avec moi ?
– ......
– Tu dois demander l'autorisation à tes parents ?
– ......
– À quelle heure est-ce que je peux venir te chercher ?
– ......
– Parfait ! Alors, à ce soir. Salut Émilie ! »

N.B. Voir aussi le chapitre 21 sur les participes.

21 Les participes (présent et passé)

1.

A/ Écrivez les phrases en formant le gérondif :

Jérôme travaille et écoute la radio en même temps.
→ *Jérôme travaille **en écoutant** la radio.*

1. Il marche sous la pluie et il chante en même temps.
2. Tu hésites et tu choisis le cadeau.
3. L'avion a fait un bruit bizarre et il a atterri.
4. Sébastien est sorti de la pièce, il courait.
5. Il est impossible de lire et de conduire en même temps.
6. Elle a appris les langues, elle a vécu à l'étranger.
7. Cette femme gagnait sa vie, elle écrivait des romans.
8. Elle a poussé un cri, elle a aperçu sa belle-mère.
9. Ce candidat rougit, il répond mal à l'examinateur.
10. J'ai renversé de la peinture : je peignais la cuisine.
11. Tu bâilles : tu fais tes devoirs.
12. Le soleil s'est couché, il a disparu dans la mer.
13. Elle a payé, elle a mis un gros billet sur le comptoir.
14. Vous avez tenu votre promesse : vous êtes venu me voir.
15. Philippe est parti, il a pris sa valise.
16. Le présentateur de la télévision a ri, il a dit une bêtise.
17. Il a couru, il a vu arriver l'autobus.
18. Il est difficile de fumer et de boire en même temps.
19. Elle est tombée malade, elle a voulu suivre un régime.
20. Tu as passé ton examen, tu as su répondre à toutes les questions.

B/ Répondez aux questions en utilisant un verbe au gérondif :

Comment as-tu maigri si vite ?
→ *J'ai maigri **en faisant** un régime sévère.*

1. Comment as-tu appris le français ?

2. Comment peut-on trouver un numéro de téléphone ?
3. Comment as-tu attrapé ce rhume ?
4. Comment allons-nous sortir de cette prison ?
5. Comment Tony peut-il toujours gagner au poker ?
6. Comment t'es-tu cassé la jambe ?
7. Comment M. Li a-t-il réussi dans la vie ?
8. Comment venez-vous d'apprendre ce drame ?
9. Comment as-tu compris le sens de ce mot ?
10. Comment vas-tu faire cette omelette ?

2. Accordez les participes passés avec les sujets des verbes :

1. Le train est *(arrivé)* à l'heure exacte.
2. La locomotive électrique est *(entré)* en gare lentement.
3. Est-ce que tes amis sont *(allé)* au Portugal ?
4. Ce matin, les nouvelles sont *(devenu)* inquiétantes.
5. Est-ce que ta fille est *(parti)* en vacances ?
6. Ton amie n'est pas *(venu)* au rendez-vous.
7. Les enfants sont *(resté)* au lit toute la matinée.
8. Les balles de golf sont *(tombé)* dans la rivière.
9. Quel jour est-ce que les jumeaux sont *(né)* ?
10. Les blessés sont *(mort)* quelques jours après l'accident.

3.

A/ Accordez le participe passé avec le COD lorsque celui-ci est placé devant le verbe (sauf pour en) :

As-tu *(lu)* cette pièce de théâtre ? Oui, je l'ai déjà *(lu)*.
→ *As-tu* ***lu*** *cette pièce de théâtre ? Oui, je* ***l'ai*** *déjà* ***lue****.*

1. As-tu *(vu)* les gros nuages noirs ? Oui, je les ai *(vu)*.
2. As-tu *(entendu)* le tonnerre ? Non, je ne l'ai pas *(entendu)*.
3. As-tu *(aperçu)* des éclairs ? Oui, j'en ai *(aperçu)* plusieurs.
4. As-tu toujours *(craint)* les orages ? Je ne les ai jamais *(craint)*, je les ai toujours *(aimé)*.
5. La pluie, je l'ai toujours *(détesté)*, j'ai toujours *(préféré)* la neige.

B/ Même exercice :

Je lui ai *(parlé)* de cette situation, j'y ai souvent *(pensé)*.
→ *Je lui ai* ***parlé*** *de cette situation, j'y ai souvent* ***pensé****.*

1. Mona leur a *(répondu)* très poliment.
2. Qu'est-ce que tu lui as *(dit)* ?
3. Elle nous a souvent *(posé)* cette question.
4. Nous y avons beaucoup *(réfléchi)* et nous lui avons *(répondu)*.
5. Cette lettre, est-ce que tu la leur as déjà *(porté)* ?

4.

A/ Révision. Accordez le participe passé si c'est nécessaire :

1. Hier soir, nos invitées sont *(resté)* très tard.
2. Je connais bien cette fille, je l'ai *(rencontré)* l'année dernière au Palace où elle était *(allé)* danser.
3. Attention, tous tes documents sont *(tombé)* par terre !

4. Est-ce que tu as *(emporté)* tes lunettes ? Non, je les ai complètement *(oublié)*.
5. Paola et Mario, vous n'êtes pas encore *(venu)* chez nous !
6. Ce journaliste a *(interviewé)* beaucoup de personnalités, mais il en a *(préféré)* deux : Gorbatchev et le prince Charles.
7. Les acteurs de ce vieux film sont tous *(mort)*.
8. Est-ce que ces gens sont *(devenu)* fous ?
9. Il y a *(eu)* plusieurs incidents ce matin à la réunion, mais ils n'en ont *(remarqué)* aucun.
10. Est-ce que Matisse a vraiment *(peint)* ces deux tableaux ? Oui, il les a *(peint)* tous les deux la même année.

B/ Répondez en remplaçant le complément par le pronom qui convient et en accordant le participe si nécessaire :

As-tu invité Véronique ? As-tu écrit à Véronique ?
→ *Oui, je **l'**ai invit**ée**. Oui, je **lui** ai écrit.*

1. As-tu rencontré Martine ?
2. As-tu téléphoné à Manon ?
3. As-tu entendu cette pianiste ?
4. A-t-elle parlé à sa grand-mère ?
5. A-t-il vraiment regardé cette fille ?
6. Avez-vous répondu à cette lettre ?
7. Avez-vous vu tous ces films ?
8. Avez-vous dit au revoir à vos cousins ?
9. Où as-tu donné rendez-vous à tes copains ?
10. As-tu déjà raconté tes aventures à tes voisins ?
11. Avez-vous souvent mis ce costume ?
12. As-tu proposé le mariage à ta petite amie ?
13. Pourquoi avez-vous invité ces gens ?
14. Avez-vous lu les dernières nouvelles ?
15. As-tu demandé sa main à Florence ?
16. Quand Michael a-t-il offert ces jumelles à son fils ?
17. A-t-il annoncé son divorce à sa famille ?
18. Avez-vous expliqué la situation à votre patron ?
19. Tristan a-t-il parlé de ses ennuis à ses associés ?
20. Sarah a-t-elle inscrit sa fille dans une école française ?

5.

A/ Accordez le participe passé avec le pronom COD, placé devant le verbe :

Marie s'est *(lavé)*. (Laver quelqu'un).
→ *Marie **s'**est lavée. (**s' = COD**)*

1. À 6 heures, les joueurs de tennis se sont *(réveillé)* et ils se sont *(levé)*.
2. Pendant quatre heures, ils se sont *(entraîné)*.
3. L'après-midi, ils se sont *(retrouvé)* au stade.
4. Les uns se sont *(combattu)*.
5. Les autres se sont *(amusé)* en comptant les points.
6. Peu à peu, ils se sont tous *(fatigué)*.
7. En rentrant à l'hôtel, ils se sont *(promené)* dans la ville.
8. Deux d'entre eux se sont *(perdu)* en route.

9. Enfin, ils se sont tous *(quitté)*, et ils se sont *(couché)* tôt.
10. Très vite, ils se sont *(endormi)*.

***B/Mettez le verbe au passé composé. Pourquoi le participe passé ne s'accorde-t-il pas ? :**

Les deux enfants se *(faire)* mal. (Faire mal à quelqu'un).
→ *Les deux enfants **se sont fait** mal. (se = COI)*

1. Hier, en se voyant au parc, les deux filles se *(plaire)*.
2. Elles se *(parler)* longuement.
3. Puis, elles se *(dire)* au revoir.
4. Mais, le lendemain, elles se *(téléphoner)*.
5. Elles se *(jurer)* de ne pas s'oublier.
6. Elles se *(souhaiter)* : « Bonne chance dans la vie ».
7. Plus tard, elles se *(envoyer)* des cartes postales.
8. Ensuite, les lettres se *(succéder)*.
9. Mais, peu à peu, elles *(ne plus se répondre)*.
10. Finalement, elles *(ne plus jamais s'écrire)*.

***C/Accordez le participe passé avec le COD si celui-ci est placé devant le verbe :**

Ils se sont *(lancé)* dans une aventure dangereuse.
→ *Ils **se sont lancés** dans une aventure dangereuse.*
Ils se sont *(lancé)* le ballon.
→ *Ils se sont **lancé le ballon.***

1. Barbara s'est *(lavé)* avant le petit déjeuner.
   Barbara s'est *(lavé)* les cheveux.
2. La femme s'est *(jeté)* du sixième étage en criant.
   Les garçons se sont *(jeté)* des pierres à la figure.
3. Les sept enfants se sont *(serré)* dans la petite voiture.
   Les deux joueurs se sont *(serré)* la main à la fin du match.
4. Entre deux actes, l'actrice s'est *(changé)*.
   En allant au cinéma, nous nous sommes *(changé)* les idées.
5. Ils se sont *(partagé)* en plusieurs groupes.
   Ils se sont *(partagé)* le travail.

6.

A/ Répondez aux questions en utilisant des pronoms :

1. Est-ce que Marion a déjà mis cette robe ?
2. Est-ce que Gérard et Charles ont écouté tes conseils ?
3. Est-ce que tu t'es lavé les cheveux ?
4. Avez-vous déjà vu ces expositions ?
5. Est-ce que tu as reçu une réponse à ta lettre ?
6. Où avez-vous rencontré les Budler pour la première fois ?
7. Est-ce qu'on t'a volé de l'argent ?
8. As-tu pris des photos pendant la soirée ?
9. Comment avez-vous trouvé Sophie après sa maladie ?
10. As-tu bien compris ces questions ?
11. Est-ce que vous avez regardé ces documents ?
12. As-tu vraiment bu toutes ces bouteilles ?
13. As-tu écrit plusieurs lettres cette semaine ?

14. Est-ce que le directeur s'est intéressé à ton projet ?
15. Avez-vous perdu votre temps à cette réunion ?
16. Est-ce que vous vous êtes habitués à votre nouveau travail ?
17. Les Français ont-ils déjà élu une femme Président de la République ?
18. Marc a-t-il reconnu sa sœur à son retour ?
19. Est-ce qu'il a déjà fait son enquête ?
20. Avez-vous ouvert les fenêtres cette nuit ?

B/ Mettez les verbes au passé composé et accordez correctement les participes passés :

1. Cet oiseau, je le *(voir)* déjà plusieurs fois.
2. Une jolie fille *(passer)* devant nous, est-ce que tu la *(regarder)* ?
3. Ces gens-là, nous les *(connaître)* en Italie l'an dernier.
4. Tes clés, où est-ce que tu les *(perdre)* ?
5. Des grèves, il y a en *(avoir)* plusieurs ces jours-ci.
6. Votre adresse, vous me la *(donner)* déjà hier soir.
7. Je *(commander)* du Gin, est-ce que tu en *(boire)* déjà ?
8. Elle *(rejoindre)* ses amis au club, elle leur *(proposer)* une partie de tennis.
9. Il *(retrouver)* ses lunettes, puis il les *(mettre)* dans sa poche.
10. Je *(aimer)* toujours ces poèmes, je les *(relire)* très souvent.

N.B. Voir aussi le chapitre 19 sur les verbes pronominaux, le chapitre 20 sur les pronoms personnels et le chapitre 25 sur les pronoms relatifs.

Les prépositions

22

1 à 5	**Prépositions de lieu :**
1.2.3.	à, dans, en, de
4.	à, de, par, jusqu'à, vers
5.	sur, sous, devant, derrière, entre, parmi, chez près de, loin de, au-dessus de, au-dessous de, au milieu de, en face de, autour de, aux environs de, au fond de
6.7.	**Prépositions de temps :**
6.7.	à, de, depuis, pendant, pour, dans, en
8.9.	**Autres prépositions :**
8.	avec, sans, pour, contre, malgré, en, par, sur, à
9.	par, pour, à cause de
10.	**Adjectifs suivis de à ou de**
11.	**Verbes suivis de à ou de (+ infinitif)**
12.	Expressions courantes
13.	Proverbes

1. Mettez la préposition à ou dans **devant le nom :**

1. Elle cherche ses clés ...... son sac.
2. Avez-vous beaucoup d'amis ...... votre immeuble ?
3. Il part accompagner ses amis ...... la gare.
4. J'irai te prendre ...... le bureau tout à l'heure.
5. Cet été, nous travaillerons ...... un bureau climatisé.
6. Céline est entrée ...... l'hôpital mardi dernier.
7. ...... ton pays, peut-on boire de l'alcool avant 18 ans ?
8. ...... la poste, on trouve aussi des timbres de collection.
9. Mon frère aîné est ...... l'université.
10. Où est Suzie ? – Elle est ...... son bain depuis une heure !

2. Faites une phrase avec les lieux proposés, en employant les prépositions de lieu comme dans les exemples :

A/ *La Suisse, Genève, la vieille ville.* Je m'installe ......
→ *Je m'installe **en** Suisse, **à** Genève, **dans la** vieille ville.*

1. *La France, Paris, une grande ville.* Il travaille ......
2. *L'Angleterre, Manchester, le centre de la ville.* Il fait un stage ......
3. *La Chine, Pékin, la partie nord-ouest de la ville.* Nos amis sont ......
4. *La Bretagne, Rennes, une belle région.* Elle va en vacances ......
5. *L'Union Soviétique, Moscou, un vieux quartier.* Ils vivent ......

B/ ***Le** Chili, Santiago, **la** ville.* Ils sont installés ......
→ *Ils sont installés **au** Chili, **à** Santiago, **en** ville.*

1. *Le Danemark, Copenhague, la ville.* Tu iras ......
2. *Le Canada, Vancouver, la banlieue.* Les Monblanc sont ......
3. *Le Pérou, Lima, la ville.* Nous allons ......
4. *Le Mexique, Mexico, la banlieue.* Ils habitent ......
5. *Le Portugal, Porto, la province.* Vous vivez ......

3. Répondez avec les prépositions de lieu à **ou** en **:**

A/ Dans quel pays allez-vous ?
1. ...... l'Allemagne.
2. ...... le Sénégal.
3. ...... la Grèce.
4. ...... la Hongrie.
5. ...... les États-Unis d'Amérique.

B/ Dans quelle ville vivez-vous ?
1. ...... Bruxelles.
2. ...... Séoul.
3. ...... Tunis.
4. ...... La Haye.
5. ...... Le Havre.

C/ Dans quelle île irez-vous en vacances ?

...... Chypre, la Sicile ou Les Baléares.
→ *J'irai **à** Chypre, **en** Sicile ou **aux** Baléares.*

1. ...... Madagascar.
2. ...... Tahiti.
3. ...... la Corse.
4. ...... Les Antilles.
5. ...... la Guadeloupe.

D/ Répondez avec la préposition de lieu de **:**

D'où revenez-vous ?

Moi, ... la Grèce, Athènes et la Crète, mais eux, ... le Luxembourg, La Haye et Jersey.
→ *Moi, je reviens **de** Grèce, **d'**Athènes et **de** Crète, mais eux, ils reviennent **du** Luxembourg, **de** **La** Haye et **de** Jersey.*

1. ...... l'Italie.
2. ...... le Maroc.
3. ...... la Turquie.
4. ...... la Pologne.
5. ...... le Japon.
6. ...... Stockholm.
7. ...... Alger.

8. ...... Bucarest.
9. ...... Rio de Janeiro.
10. ...... Le Caire.
11. ...... la Sardaigne.
12. ...... Cuba.
13. ...... la Nouvelle-Calédonie.
14. ...... Malte.
15. ...... Les Comores.

4. Mettez la préposition à, de, par, vers **ou** jusqu'à **selon le sens :**

1. Le T.G.V. (Train à Grande Vitesse) va ...... Paris ...... Lyon en deux heures.
2. Il faut passer ...... Lyon pour aller ...... Paris ...... Marseille.
3. ...... la Tour Eiffel, on voit tout Paris.
4. Elle est venue ...... moi avec un large sourire.
5. Pour venir chez moi, passez ...... la rue Serpentine.
6. Prenez l'autobus n° 7 ...... le terminus.
7. Oui, cette route va bien ...... le Sud.
8. Depuis l'aéroport ...... la maison, il y a une heure de trajet.
9. Malgré les tournants, j'irai chez vous ...... la route de la côte.
10. Il passe trop vite ...... une idée ...... l'autre, on ne peut pas le suivre.

5. Faites une phrase avec les éléments suivants en utilisant l'une des prépositions proposées :

A/ *Sur, sous, devant, derrière, entre, parmi, chez.*

1. Poser – vase – table.
2. Chien – dormir – table.
3. Hôpital – se trouver – la poste et l'église.
4. Au théâtre – être malheureusement assis – un très grand monsieur.
5. Au musée – y avoir toujours trop de gens – beaux tableaux.
6. Trouver une grande différence – ces deux pays.
7. Y avoir trop d'accidents – les routes.
8. Aller – le coiffeur – une fois par mois.
9. Reconnaître Gilles – des inconnus.
10. Aller dîner – une amie – ce soir.

B/ *Près de, loin de, à côté de, au-dessus de, au-dessous de, au milieu de, en face de, autour de, aux environs de, au fond de.*

1. Faire cinq degrés – zéro.
2. Minijupe – être – genou.
3. Strasbourg – être – frontière.
4. Londres – être – Varsovie.
5. Au cinéma – écran – être – spectateurs.
6. Y avoir – piscine – jardin.
7. Au concert – Gérard – être assis – moi.
8. Clés – être sûrement – sac.
9. Beaucoup de voitures – tourner – l'Arc de Triomphe.
10. Tomber en panne – Dijon.

C/ Décrivez un voyage en utilisant des prépositions de lieu.

6.

A/ Mettez la préposition de temps à ou de devant le nom :

1. Nous avions rendez-vous ...... 9 h 30 et il est 10 h 30 !
2. Les élèves ont classe ...... 8 h ...... midi, puis ...... 14 h ...... 17 h.
3. Il part ...... le lever du soleil et rentre ...... la tombée de la nuit.
4. Je me suis ennuyé ...... le début ...... la fin de la soirée !
5. Le 31 décembre, ... minuit, tout le monde s'embrasse.

B/ Mettez la préposition depuis **ou** pendant **:**

1. Je vous attends ...... une heure, dépêchez-vous !
2. Je vous ai attendu ...... une heure, puis je suis parti.
3. ...... mon séjour, j'ai fait beaucoup de progrès en français.
4. ...... mon arrivée, j'ai fait des progrès en français.
5. Elle n'est plus la même ...... son accident.

C/ Mettez la préposition pour **ou** pendant **:**

1. Nous partons en Italie ...... quatre ou cinq jours.
2. Ils sont restés à Venise ...... toute une semaine.
3. Le conférencier a parlé ...... deux heures sans s'arrêter.
4. Nous avons des provisions ...... huit jours.
5. Il va repartir ...... trois semaines en voyage d'affaires.

D/ Mettez la préposition dans **ou** en **:**

1. Ne bougez pas, je reviens ...... deux minutes !
2. Le pilote a fait le parcours ...... 3 minutes 21 secondes.
3. Vous avez appris le français ...... quelques mois.
4. Je t'appellerai ...... deux jours.
5. ...... un an, vous parlerez très bien le français.

7.

A/ Mettez la préposition de temps qui convient :

1. ...... sa maladie, nous avons été très inquiets.
2. Le conférencier parle ...... deux heures, et il n'a pas encore fini.
3. Il n'a plus de travail ...... le 31 mars.
4. Les vacances scolaires auront lieu ...... le 1er ...... le 15 avril.
5. Tout a disparu ......une seconde.
6. Mon ami viendra me rejoindre en France ...... un mois.
7. Le feu d'artifice commence ...... 22 heures précises.
8. Il a été chômeur ...... plus d'un an.
9. Nous partons en Angleterre ...... deux ans.
10. Ce motocycliste est à l'hôpital ...... déjà deux mois.

B/ Terminez la phrase par un complément de temps :

1. Hier soir, Sabine est rentrée à la maison à ......
2. Christophe passe son examen dans ......
3. Arnaud est malade depuis ......
4. David a appris à conduire en ......
5. Je t'écrirai des cartes postales pendant ......
6. Ce grand magasin est ouvert de ...... à ......
7. Nous ne serons pas là demain, nous partons pour ......
8. Nous reviendrons dans ......
9. Caroline et Benjamin ont le téléphone depuis ......
10. Avec sa voiture de course, il fait Genève-Nice en ......

8.

A/ Mettez la préposition qui convient : avec, sans, pour, contre, malgré, en, par, sur, à.

1. Elle a toujours mal au cœur : ...... avion, ... train, ... autobus, ... voiture. Alors elle va ...... pied !
2. Le champion de tennis a gagné ...... sa grande fatigue.
3. Pousse le lit ...... le mur !
4. Il regarde ses billets de 50 F un ...... un, car un ...... deux est faux.
5. Ton pull est ...... l'envers, remets-le ...... l'endroit.
6. Ils partent en croisière ...... les vacances.
7. J'aime sortir ...... ces amis, ils sont ...... problème.
8. Cette statue ancienne est ...... bois, celle-là ...... pierre.
9. Il a voté ...... ce candidat, il déteste ses idées.
10. Elle est toujours de bonne humeur ...... ses difficultés.

B/ Faites une phrase avec chacune des expressions suivantes :

1. Pour Noël.
2. Malgré le froid.
3. En bateau.
4. Une fois par an.
5. Un jour sur deux.

***C/ Mettez la préposition de sens contraire (attention aux articles), en changeant d'autres mots si nécessaire :**

Sans manteau, on a froid en hiver.
→ ***Avec un*** *manteau, on a* ***chaud*** *en hiver.*

1. **Avec** de l'argent, on peut tout faire.
2. **Sans** lunettes, il ne peut pas lire le journal.
3. En ce moment, Emmanuelle travaille **avec** plaisir.
4. Le public du stade était **pour** l'équipe de France.
5. Êtes-vous **contre** la peine de mort ?

D/ Écrivez une petite histoire avec les compléments suivants :

Chez moi – malgré le mauvais temps – en taxi – avec un masque – pour un dîner costumé – contre l'avis de mes parents – deux invités sur trois – sans arrêt – une bouteille par personne – à huit heures.

***9. Mettez la préposition de cause qui convient :** par, pour **ou** à cause de.

1. Est-ce que vous pleurez ...... moi ?
2. J'ai appris la nouvelle ...... le journal.
3. Les voitures roulent doucement ...... le brouillard.
4. Il a eu un magnétoscope ...... son brillant succès à l'examen.
5. On est obligé de fermer les fenêtres ...... le bruit.
6. Cet accident est arrivé ...... ta faute.
7. On l'a félicité ...... son courage.
8. Il a perdu son travail ...... une faute professionnelle.
9. Merci ...... ce beau cadeau !
10. Est-ce ...... hasard ou ...... erreur que vous avez sonné à ma porte ?

10. Complétez les phrases par l'adjectif et la préposition qui conviennent :

Différent de, sûr de, étonné de, responsable de, content de, fatigué de, prêt à, amoureux de, certain de, interdit à.

1. Elle est ...... un bel aviateur.
2. Chaque jour est ...... le jour précédent.
3. M. Charlus est maintenant ...... le service des exportations.
4. Ce film est ...... les enfants de moins de treize ans.
5. Cet adolescent est trop ...... lui.
6. Véronique a été très ...... son séjour en Irlande.
7. Les voitures de course sont ...... démarrer.
8. Je suis ...... vous connaître.
9. Elle est ...... répéter ses explications.
10. Nous sommes ...... vous rencontrer ici.

B/ Mettez après l'adjectif la préposition à **ou** de **devant l'infinitif complément :**

1. Elle est enfin prête ...... partir.
2. Ce texte est très facile ...... comprendre.
3. Valérie est incapable ...... dire un mensonge.
4. Ce projet est impossible ...... réaliser.
5. Le témoin est certain ...... pouvoir reconnaître le voleur.
6. J'ai été très heureux ...... faire votre connaissance.
7. Excusez-moi ! Je suis désolé ...... arriver en retard !
8. L'entrée du Louvre n'est plus gratuite le dimanche. C'est bon ...... savoir !
9. Les Merlin sont très contents ...... habiter à la campagne.
10. Les candidats sont impatients ...... connaître leurs résultats.

C/ Écrivez le contraire de l'adjectif souligné, en changeant d'autres mots si nécessaire :

Dans ce restaurant, il est impossible de dîner après 23 heures.
→ *Dans ce restaurant, il est **possible de** dîner **jusqu'à** 3 heures du matin.*

1. Il est impossible de dormir avec les fenêtres ouvertes.
2. Il est difficile de dire le contraire.
3. Il est inutile de répéter vos explications, j'ai compris.
4. Il est interdit de fumer à l'avant de l'avion.
5. Il est anormal de peser 150 kilos.

11. Terminez les phrases par un infinitif :

Les clients finissent de ......
→ *Les clients finissent de **boire** leur café.*

1. Le temps était nuageux, et il a commencé à ......
2. Les enfants sont en train de ......
3. À votre arrivée, j'étais sur le point de ......
4. Il me casse les oreilles, il n'arrête pas de ......
5. Je ne peux pas venir avec toi, j'ai trop de choses à ......
6. Aidez-moi, je n'arrive pas à ......
7. Cela fait une heure que j'essaie de ......
8. Il faut nous dépêcher de ......
9. Dominique a l'air de ......

10. Laurence me demande de ......
11. Je n'ai jamais appris à ......
12. En partant, tu as oublié de ......
13. Est-ce que vous avez envie de ......
14. Il s'est mis à ......
15. Son copain lui dit de ......
16. Elle s'est habituée à ......
17. Tu n'as pas l'habitude de ......
18. Vous avez refusé de ......
19. Julien n'a pas peur de ......
20. Nous avons décidé de ......

12. Complétez les phrases par une des expressions suivantes :

À mon avis, par hasard, par exemple, à droite, à gauche, en retard, en avance, de bonne heure, de bonne humeur, en ce moment, en même temps, d'habitude, en général, en vacances.

1. Mon grand-père a toujours peur d'arriver ......, alors il part toujours trop ....
2. Que se passe-t-il ? ......, il est toujours à l'heure.
3. Ce matin, je me suis levé ...... ; c'était trop tôt, et je ne suis pas ....
4. Pour traverser la rue, il faut regarder ...... et ....
5. Attention ! il y a beaucoup de grippes......!
6. Les coureurs sont partis tous ....
7. ......, cette fille est folle.
8. ......, les Français partent ...... au mois d'août.
9. Allons visiter un château, ... celui de Fontainebleau.
10. Est-ce que ...... vous n'avez pas trouvé un porte-monnaie ?

13. Expliquez le sens de ces proverbes :

1. Tous les chemins mènent à Rome.
2. Heureux au jeu, malheureux en amour.
3. Il n'y a pas de fumée sans feu.
4. Loin des yeux, loin du cœur.
5. Œil pour œil, dent pour dent.
6. Il faut manger pour vivre, et non vivre pour manger.
7. Beaucoup de bruit pour rien.
8. Toute vérité n'est pas bonne à dire.
9. En avril, ne te découvre pas d'un fil ; en mai, fais ce qu'il te plaît.
10. Tous les goûts sont dans la nature.

N.B. Voir aussi le chapitre 18 sur les compléments d'objet directs et indirects.

23 Les comparaisons

1.2.	Comparaison avec un adjectif et un adverbe
3.	Comparaison avec un nom
4.5.	Comparatifs irréguliers
6.	**Plus ...... plus, moins ...... moins, de plus en plus, de moins en moins**
7.	Autres comparaisons (verbes, adjectifs, **même, comme**)
8.	Révision
9.	Superlatifs.

1. Complétez les phrases en imitant les modèles :

A/ *Plus ...... que (avec un adjectif).*

Ce jeu est ...... drôle ...... l'autre.
→ *Ce jeu est **plus** drôle **que** l'autre.*

1. Un gâteau au chocolat est ...... sucré ...... une glace au citron.
2. Hier, la matinée a été ...... fraîche ...... la soirée.
3. Au Louvre, le palais est-il ...... ancien ...... la pyramide ?
4. En 1985, il y a eu une récolte ...... mauvaise ...... en 1986.

B/ *Aussi ...... que (avec un adjectif).*

Ce studio est ...... clair ...... l'autre.
→ *Ce studio est **aussi** clair **que** l'autre.*

1. Ta petite sœur semble ...... gentille ...... la mienne.
2. Son troisième mari est ...... jaloux ...... les deux autres.
3. Ces voitures italiennes sont ...... rapides ...... les japonaises.
4. Est-ce que ces acteurs deviendront ...... célèbres ...... ceux-là ?

C/ *Moins ...... que (avec un adjectif).*

José a été ...... courageux ...... Davy.
→ *José a été **moins** courageux **que** Davy.*

1. Ton petit ami paraît ...... riche ...... celui de Mirandolina.
2. Alan a toujours été ...... accueillant ...... sa femme.
3. Les croissants de ce matin semblent ...... frais ...... ceux d'hier.
4. Le temps est ...... mauvais ce soir ...... ce matin.

D/ *Plus ...... que, moins ...... que, aussi ...... que, (avec un adjectif).*

(plus ...... que) Cet enfant répond poliment.
→ *Cet enfant répond **plus** poliment **que** toi.*

1. *(moins ...... que)* Ce magnétoscope coûte cher.

2. *(aussi ...... que)* Ce chauffeur de taxi conduit vite.
3. *(plus ...... que)* Dans ce pays, les ouvriers travaillent dur.
4. *(moins ...... que)* Aujourd'hui, le malade se sent mal.
5. *(plus ...... que)* Ce matin, j'ai attendu le train longtemps.

2.

A/ Complétez les phrases comparatives en utilisant des adjectifs ou des adverbes :

1. Demain tu seras un peu plus ...... que ......
2. Ce matin, le ciel semblait beaucoup plus ...... que ......
3. Votre idée m'a paru un peu moins ...... que ......
4. Les parents de Zoé semblent beaucoup moins ...... que ......
5. Ton résultat à l'examen est aussi ...... que ......
6. Cette voiture roule encore plus ...... que ......
7. En hiver, cette région devient encore plus ...... que ......
8. Je n'entends rien, il parle à voix encore plus ...... que ......
9. Par le T.G.V., ce sera bientôt aussi ...... d'aller à ...... qu'à ......
10. À Paris, tout coûte aussi ...... que ......

B/ Comparez les éléments suivants en utilisant des adjectifs ou des adverbes :

Deux actrices françaises.
→ *Isabelle Adjani est **plus** célèbre **que** Sophie Marceau.*

1. Deux chanteurs.
2. Deux films.
3. Deux capitales.
4. Deux moyens de transport.
5. Deux de vos ami(e)s.
6. Deux métiers.
7. Deux bijoux.
8. Deux dentifrices.
9. Deux restaurants.
10. Deux sports.

3. Complétez les phrases en imitant les modèles :

(plus de ...... que) Vous avez ...... argent ...... lui.
→ *Vous avez **plus d'**argent **que** lui.*

1. *(plus de ...... que)* Ce pâtissier vend ...... gâteaux ...... son concurrent.
2. *(autant de ...... que)* Cet écrivain a écrit ...... romans ...... celui-là.
3. *(moins de ...... que)* Ce pommier produit ...... pommes ...... l'autre.
4. *(un peu plus de ...... que)* Est-ce que Michel a ...... chance ...... son frère ?
5. *(autant de ...... que)* Est-ce que l'année prochaine, la France exportera ...... vin ...... l'Italie ?
6. *(beaucoup plus de ...... que)* Cette église possède ...... vitraux ...... cette petite chapelle.
7. *(beaucoup moins de ...... que)* Il y a ...... touristes sur le Mont-Blanc ...... dans les ruelles du Mont-Saint-Michel.
8. *(un peu moins de ...... que)* Est-ce qu'aujourd'hui, il y a ...... brume sur la mer ...... hier ?
9. *(autant de ...... que)* Patrick mange ...... chocolat ...... sa sœur.
10. *(un peu plus de ...... que)* Est-ce que cette marque de lave-vaisselle offre ...... garanties ...... les autres ?

4. Écrivez les comparaisons en imitant les modèles proposés :

A/

Ce film est très bon. *(l'autre)*
→ *Il est **meilleur** que l'autre.*
→ *Il est **bien meilleur** (que l'autre).*

1. Ton idée me semble très bonne. *(la mienne)*
2. Tu as trouvé une très bonne situation. *(Éric)*
3. Laurent est en très bonne santé. *(son médecin)*
4. Aujourd'hui, il fait très bon. *(hier)*
5. Tu as bonne mine. *(la semaine dernière)*

B/

Tu feras très bien ce travail. *(moi)*
→ *Tu feras ce travail **mieux** que moi, **bien mieux** que moi.*

1. Cette nuit, j'ai très bien dormi. *(la nuit dernière)*
2. Ce P.D.G. a très bien réussi dans les affaires. *(son concurrent)*
3. Tu parles très bien français. *(ton copain)*
4. Elle connaît très bien l'histoire de son pays. *(ses frères)*
5. Demain, ça ira très bien. *(aujourd'hui)*

5.

A/ Complétez et adaptez les phrases en ajoutant bon **ou** bien **:**

Cette fille danse ......, c'est une ...... danseuse.
→ *Cette fille danse **bien**, c'est une **bonne** danseuse.*

1. Il nage vite et ......, c'est un ...... nageur.
2. Tu n'es pas un très ...... chef, mais tu cuisines ......
3. Est-ce que vous aimez ...... les huîtres ? Oui, c'est ...... !
4. Ce champagne est ...... frais, mais il n'est vraiment pas ...... !
5. Ce disque se vend ......, toutes les chansons sont ......
6. Tu as ...... fait de partir, c'était une ...... idée.
7. Les acteurs ont ...... joué, nous avons passé une ...... soirée.
8. C'était un ...... spectacle. Oui, c'était vraiment ......!
9. Vous gagnez ...... votre vie, vous avez un ...... métier.
10. Est-ce que tu connais ...... Oliver ? Oui, c'est un ...... ami.

B/ Complétez les phrases en ajoutant mieux **ou** meilleur **:**

Il parle ...... que toi, c'est un ...... avocat.
→ *Il parle **mieux** que toi, c'est un **meilleur** avocat.*

1. Son dernier livre est ...... que le précédent, il a ...... décrit l'atmosphère de ce pays.
2. À trois heures du matin, il vaut ...... dormir. Trouve un ...... moment pour me téléphoner !
3. Toi, tu parles ...... que moi, tu feras un ...... exposé.
4. Est-ce que tu connais une ...... solution ? Non, je ne trouverai certainement pas ...... !
5. Au tennis, il fait ...... les services que les volées, mais il a un ...... jeu de fond.

6. Complétez les phrases suivantes :

A/

Plus je mange, plus je ......
→ ***Plus** je mange, **plus** je grossis.*

1. Plus tu es amoureux, plus tu deviens ......

2. Moins tu travailles, moins tu ......
3. Moins il dort, plus ......
4. Plus tu cries, moins ......
5. Plus je t'entends, plus je te vois et plus ......

B/ Le caviar coûte de plus en plus ...... et j'ai de moins en moins de ......
→ *Le caviar coûte* ***de plus en plus*** *cher et j'ai* ***de moins en moins*** *d'argent.*

1. La voiture roule de plus en plus ......
2. Attention, tu travailles de moins en moins ......
3. Ta situation semble de plus en plus ......
4. Tu es paresseux, tu fais de moins en moins de ......
5. Il a de plus en plus de ......

7. Répondez aux questions :

A/ Est-ce que Nina ressemble à sa sœur jumelle ?
→ *Oui, elle lui ressemble beaucoup.*

1. Est-ce que tu ressembles à ta mère ?
2. Est-ce que j'ai l'air d'un monstre ?
3. Est-ce que, sur ce portrait, Marc est ressemblant ?
4. Est-ce que vos opinions sont toujours différentes ?
5. Est-ce que ces deux chaussures sont vraiment pareilles ?
6. Est-ce que les deux sexes sont égaux ?
7. Est-ce que son salaire est supérieur au tien ?
8. Est-ce que ton poids est inférieur à la moyenne ?
9. Est-ce que ces deux méthodes sont semblables ?
10. Cette statue est-elle identique à l'autre ?

***B/** Est-ce que tu mets toujours le même parfum ?
→ *Oui, je mets toujours* ***le même*** *(parfum).*

1. Est-ce que tu fais souvent le même rêve ?
2. Est-ce qu'on vous a donné la même réponse ?
3. Est-ce qu'il fait souvent les mêmes erreurs ?
4. Est-ce que nous allons tous à la même soirée ?
5. Est-ce que vous suivez les mêmes cours ?

C/ Léa a-t-elle le même père que Sacha ?
→ *Oui, elle a* ***le même*** *(père)* ***que*** *lui.*

1. As-tu le même âge que ton copain ?
2. Est-ce que vous avez visité les mêmes villes que nous ?
3. Es-tu allé chez le même coiffeur que moi ?
4. Est-ce que tes amis ont les mêmes problèmes que toi ?
5. Est-ce qu'il aura la même patience que son frère ?

***D/ Trouvez le nom qui complète la comparaison :**

1. J'ai compris ! Maintenant, c'est clair comme de l'......
2. Ton ami est beau comme un ......
3. Mais il est bête comme ses ......
4. En plus, il est jaloux comme un ......
5. Par contre, le mien est maigre comme un ......
6. Mais il est malin comme un ......
7. Et, au judo, il est rapide comme l'......

8. Cette fille est jolie comme un ......
9. Avec elle, tu seras heureux comme un ......
10. Oui, mais elle chante faux comme une ......

8.

A/ Comparez les éléments proposés en utilisant des adjectifs, des noms ou des adverbes :

1. La neige et la pluie.
2. Le bruit d'un avion et le bruit d'un moustique.
3. La couleur des arbres au printemps et en automne.
4. L'odeur du métro parisien et le parfum des fleurs.
5. La confiture de fraise et la moutarde.

B/ Comparez les avantages et les inconvénients entre un séjour dans votre pays et un séjour en France (prix des logements, moyens de transports, nourriture, tourisme, visites culturelles, accueil des habitants, pollution, bruits, libertés, etc.).

9.

A/ Répondez aux questions :

Quel est le fleuve **le plus long** de France ?
→ *C'est la Loire.*

1. Quel est l'âge de la vie le plus intéressant ?
2. Quelles sont les boissons les plus alcoolisées ?
3. Quel est l'acteur de cinéma le plus célèbre ?
4. Quelle est la fête nationale française la plus connue ?
5. Quels sont les problèmes écologiques les plus graves ?

B/ Répondez aux questions par un superlatif :

Est-ce que c'est un problème important ?
→ *Oui, c'est **le plus important** (des problèmes).*

1. Est-ce que c'est une entreprise sérieuse ?
2. De ces deux pulls, celui-ci est-il plus chaud que l'autre ?
3. Est-ce que cet orchestre est très connu en France ?
4. Ce roman de Michel Butor est-il intéressant ?
5. En classe, cet enfant est-il très agité ?

C/ Écrivez les phrases en utilisant un superlatif :

C'est *(tour, haute, Paris).*
→ *C'est la tour **la plus haute** de Paris.*
→ *C'est **la plus haute tour** de Paris.*

1. Voici *(maison, belle, village).*
2. Lucky Luke est *(tireur, rapide, l'Ouest).*
3. Je vous emmène dans *(restaurant, meilleur, ville).*
4. C'est *(jour, beau, ma vie).*
5. C'est *(téléviseur, cher, magasin).*

D/ Faites une phrase en reliant chaque verbe avec une des expressions suivantes :

1. Elle sort	– le plus possible.
2. Je rentrerai	– le mieux possible.
3. Il travaille	– le plus tôt possible.
4. Je partirai	– le plus tard possible
5. Il dort	– le plus souvent possible.

E/ Terminez les phrases suivantes :

Pour avoir les yeux les plus brillants ......
→ *Pour avoir les yeux les plus brillants, pleurez souvent !*

1. Pour avoir la silhouette la plus mince ......
2. Pour obtenir le teint le plus frais ......
3. Pour garder les mains les plus douces ......
4. Pour devenir l'homme le plus riche du monde ......
5. Pour pouvoir faire le sourire le plus étincelant ......

24 L'enchaînement de deux phrases simples

Enchaînement avec :

1.2. et, mais, ou, donc, car
3. pourtant, alors, aussi, donc, soudain, car, en effet, d'une part, d'autre part
4. d'abord, ensuite, puis, enfin
5. avant, après, maintenant, aussitôt, tout à coup, alors

1. Inventez une deuxième phrase après et, mais, ou, donc, car **:**

Il fait beau et ......
→ *Il fait beau et le soleil brille.*

1. La jeune fille est allée vers l'agent de police et ......
2. L'autobus s'est arrêté et ......
3. Le taxi est arrivé à la gare et ......
4. Le marchand de journaux a indiqué son chemin à Éric mais ......
5. Gaston voulait aller à la banque mais ......
6. Séverine a téléphoné à Alain mais ......
7. En vacances, nous voyageons ou ......
8. Est-ce que vous sortez ou est-ce que ......
9. À votre arrivée là-bas, écrivez ou ......
10. Perrine n'a pas de montre, donc ......
11. Ils n'ont pas vu le camion, donc ......
12. L'équipe a mal joué pendant le match, donc ......
13. Arnaud n'est pas allé travailler car ......
14. Allume la lampe car ......
15. Yannick ne part pas en voyage car ......

2.

A/ Complétez le texte par et, mais, ou, donc, car **:**

Hugues monte dans l'avion de Bruxelles ...... s'assied à sa place. ...... un autre passager vient le déranger ...... il a le même numéro de place que Hugues. « C'est moi qui me trompe .... c'est vous qui vous êtes trompé ! » Hugues vérifie ......, et s'aperçoit de son erreur !

B/ Faites des phrases en reliant les éléments indiqués par et, mais, ou, donc **ou** car **:**

Avoir mauvais caractère – avoir peu d'amis.
→ *Alix a mauvais caractère, donc elle a peu d'amis.*

1. Habiter la campagne – aimer la nature.
2. Détester le bruit – choisir un endroit calme.
3. Cueillir des fraises – faire des confitures.
4. Dormir sur l'herbe – s'installer sur une chaise longue.
5. Être tranquille – ne pas s'ennuyer.

3.

A/ Complétez le texte par l'un des mots de liaison suivants : aussi, alors, pourtant, d'une part, d'autre part.

À la fin d'un match de tennis, un journaliste interroge l'un des joueurs :
« Vous êtes le premier joueur mondial, et ...... vous avez perdu ce match. Pourquoi ?
– ...... j'avais mal à une jambe, ... mon adversaire a très bien joué. Il avait ...... l'avantage d'être le plus jeune. Au troisième set, j'ai eu un moment difficile ; ...... il en a profité pour marquer des points.»

B/ Reliez les phrases entre elles par l'un des mots de liaison suivants : donc, alors, soudain, pourtant, car, en effet.

Un jour, nous roulions vite sur l'autoroute ...... on nous attendait pour le déjeuner. ...... le moteur a fait un bruit bizarre. ...... la voiture sortait de chez le garagiste, c'était incompréhensible !

Nous nous sommes ...... arrêtés à la première station-service. ...... le mécanicien a bien ri. ......, il n'y avait plus d'essence !

4. Retrouvez l'ordre logique, et mettez la lettre qui convient dans la case numérotée :

A/ Pour téléphoner d'une cabine publique, il faut :

A. Ensuite, attendre la tonalité.
B. Enfin, composer le numéro de votre correspondant.
C. D'abord, décrocher le combiné.
D. Puis introduire une pièce ou la carte de téléphone.

1 ☐
2 ☐
3 ☐
4 ☐

B/ Pour faire ce gâteau au chocolat, il faut :

A. Puis, quand le chocolat est mou, ajouter 3 œufs et 150 grammes de farine, de beurre et de sucre.
B. D'abord, prendre trois barres de chocolat noir et les faire fondre sans eau
C. Enfin, verser dans un moule beurré et faire cuire à four moyen pendant 15 minutes environ.
D. Ensuite, bien mélanger le tout.

1 ☐
2 ☐
3 ☐
4 ☐

5.

A/ Placez les mots de liaison suivants indiquant le temps : avant, après, maintenant, aussitôt, tout à coup, alors.

Je n'aimais pas le son du violon. Pourtant j'aimais beaucoup la musique. Un jour, l'ascenseur était en panne, je suis donc monté à pied. ......, en passant devant la porte du quatrième étage, j'ai entendu un air de violon extraordinaire. ......, je suis resté derrière la porte à écouter pendant tout le morceau. ......, le musicien a joué d'autres airs, j'étais toujours là. Quand la musique s'est arrêtée, j'ai sonné ...... à la porte du violoniste, et je lui ai demandé de m'apprendre le violon !

......, j'étais certainement sourd. ......, je ne comprends pas pourquoi je n'aimais pas le violon, c'est ma passion !

B/ Racontez un souvenir en utilisant des mots de liaison de temps.

Les pronoms relatifs 25

1. Complétez la phrase par une proposition relative introduite par qui **avec les éléments indiqués :**

A/ Hélène a une coiffure ...... *(lui aller bien).*
→ *Hélène a une coiffure* ***qui*** *lui va bien.*

1. Aude a un frère ...... *(être aviateur).*
2. C'est le téléphone ...... *(sonner).*
3. Il y a des gens ...... *(dormir trois heures par nuit).*
4. Élodie a une chambre ...... *(donner sur une jolie place).*
5. Voilà quelqu'un ...... *(parler bien français).*

B/ Le train ...... *(**il** démarre)* va à Toulouse.
→ *Le train* ***qui*** *démarre va à Toulouse.*

1. Amélie, ... *(elle est infirmière)*, travaille à l'hôpital.
2. Les clés ...... *(elles sont sur la table)* sont à moi.
3. Le vieux monsieur ...... *(il habite au-dessus de chez nous)* ne sort jamais.
4. La statue ...... *(elle se trouve sur la place)* représente Victor Hugo.
5. Les bruits ...... *(ils viennent de la rue)* sont insupportables.

2.

A/ Complétez la phrase par une proposition relative introduite par que **avec les éléments indiqués :**

Anne a un cousin ...... *(elle n'a jamais vu **ce cousin**).*
→ *Anne a un cousin **qu'**elle n'a jamais vu.*

1. Regarde ce foulard ...... *(j'ai acheté ce foulard).*
2. Où est le parapluie ...... *(je t'ai prêté ce parapluie)* ?
3. Jean ne suit jamais les conseils ...... *(on lui donne ces conseils).*
4. Aimez-vous la chanson ...... *(nous entendons cette chanson)* ?
5. Il y a des gens ...... *(je ne comprendrai jamais ces gens).*

B/ Même exercice :

Le tabac ...... *(vous **le** fumez)* sent bon.
→ *Le tabac **que** vous fumez sent bon.*

1. Le vin ...... *(nous le buvons)* est délicieux.
2. Les photos ...... *(vous les regardez)* sont celles de notre dernier voyage.
3. Le médecin ...... *(je l'ai vu)* est le meilleur spécialiste.
4. Les lunettes ...... *(vous les portez)* sont-elles incassables ?
5. L'avion ...... *(vous devez le prendre)* a du retard.

C/ Mettez le verbe au passé composé, en accordant le participe passé avec que **(complément d'objet direct) :**

La pièce que nous *(jouer)* devant vous était de Molière.
→ ***La pièce que** nous avons jou**ée** devant vous était de Molière.*

1. Nous ne connaissons pas la route qu'il *(prendre).*
2. J'ai oublié le nom de la personne que nous *(rencontrer)* ce matin.
3. Quels sont les livres que tu *(lire)* l'été dernier ?
4. La semaine que nous *(passer)* au Portugal a été merveilleuse.
5. Les chaussures que tu *(acheter)* sont très à la mode.

3.

A/ Transformez la deuxième phrase en une proposition relative introduite par qui **ou** que **:**

Je t'apporte un cadeau. Il te fera plaisir.
→ *Je t'apporte un cadeau **qui** te fera plaisir.*

1. Connais-tu ce journal ? Il vient de sortir.
2. Nous avons acheté une caméra. Nous avons emporté cette caméra en Sicile.
3. Qui veut bien fermer cette porte ? Elle grince.
4. Le vigneron fait un beau métier. On connaît mal ce métier.
5. Vous allez écouter une sonate de Chopin. Cette sonate est un chef-d'œuvre.
6. L'autobus est toujours plein. Je le prends tous les matins.
7. Les salariés sont en grève. Ils demandent une augmentation de salaire.
8. Tous les vêtements ne sont pas secs. J'ai lavé ces vêtements hier.
9. Les villes sont de plus en plus nombreuses. Elles ont un métro.
10. Le numéro n'est pas en service actuellement. Vous le demandez.

B/ Mettez qui **ou** que **:**

1. Éric a une sœur ...... fait ses études en Allemagne.
2. Voilà un garçon ...... j'ai déjà rencontré.
3. Les visiteurs admirent le tableau ...... le musée vient d'acheter.

4. J'ai peur, j'ai le cœur ...... bat.
5. Il y a près d'ici un magasin ...... est ouvert le dimanche.
6. La boulangère n'a jamais vu un client ...... n'aime pas son pain.
7. Adeline porte un blouson ...... lui va très bien.
8. Vous avez une prononciation ...... je comprends parfaitement.
9. Donnez-moi un couteau ...... coupe !
10. J'ai bien aimé la promenade ...... nous avons faite.

4. Complétez la phrase par une proposition relative introduite par dont **avec les éléments indiqués :**

A/ J'ai un voisin ...... *(le chat* ***de ce voisin*** *vient souvent chez moi).*
→ *J'ai un voisin* ***dont*** *le chat vient souvent chez moi.*

1. J'habite avec une amie ...... *(la tante de cette amie travaille à Air France).*
2. J'adore les plages ...... *(le sable de ces plages est fin).*
3. Je suis dans un studio ...... *(le propriétaire de ce studio est mon oncle).*
4. Alfred m'a appris une nouvelle incroyable ...... *(il est absolument sûr de cette nouvelle).*
5. Ils ont trouvé un appartement ...... *(ils sont très contents de cet appartement).*
6. Nos voisins ont un gros chien ...... *(nous avons peur de ce chien).*
7. Je ne connais pas ces amis ...... *(vous parlez de ces amis).*
8. C'était une soirée magnifique ...... *(je me souviendrai toujours de cette soirée).*
9. Je ne comprends rien aux affaires ...... *(il s'occupe de ces affaires).*
10. Avez-vous toutes les informations ...... *(vous avez besoin de ces informations)* ?

B/ C'est une belle histoire ...... *(****sa*** *fin est très triste).*
→ *C'est une belle histoire* ***dont la*** *fin est très triste.*

1. Je lis un roman ...... *(son début est très drôle).*
2. C'est un livre ...... *(son action se passe en 2031).*
3. Connaissez-vous Mme Pain ...... *(sa fille a épousé un boulanger)* ?
4. Il a une charcuterie ...... *(ses spécialités sont réputées).*
5. Il est installé dans un village ...... *(sa population est jeune).*
6. J'ai vu quelqu'un ...... *(ses yeux étaient de deux couleurs différentes).*
7. Il y a des forêts ...... *(leurs arbres sont tous malades).*
8. C'est une jeune fille très gaie ...... *(son rire est contagieux).*
9. Il a une collection de papillons ...... *(leur variété est étonnante).*
10. Ce sont des syndicalistes ...... *(leurs revendications sont nombreuses).*

C/ Je n'ai pas vu ce film ...... *(tout le monde* ***en*** *parle).*
→ *Je n'ai pas vu ce film* ***dont*** *tout le monde parle.*

1. Offre-lui la montre ...... *(elle en a envie)* !
2. C'est un travail ...... *(il en est capable).*
3. Il y a eu hier un accident d'avion ...... *(tous les journaux en parlent ce matin).*
4. Quelle est cette association d'étudiants ...... *(vous en faites partie) ?*
5. Voici l'usine ...... *(M. Cartier en est le directeur).*
6. Tous les documents ...... *(vous en aurez besoin)* sont dans ce tiroir.
7. La chaleur ...... *(on en souffre)* est inhabituelle.
8. Cet incendie, ... *(on n'en connaît pas la cause)*, est étrange.
9. Le Panthéon, ... *(vous en admirez l'architecture)*, est une ancienne église.
10. Le Mont-Saint-Michel, ... *(j'en vois les photos)*, paraît magnifique.

5. Mettez dont **ou** que **:**

1. Voici l'ami ...... je vous ai parlé.
2. Cette jeune fille ne ressemble plus à la petite fille ...... j'ai connue.
3. Les renseignements ...... cette secrétaire nous a donnés sont très utiles.
4. L'assurance paiera les réparations ...... votre voiture a besoin.
5. La photocopieuse ...... nous nous servons au bureau tombe souvent en panne.
6. Regardez tous les champignons ...... nous avons ramassés !
7. Le château ...... vous voyez sur la droite est du XVIIe siècle.
8. L'orchestre ...... ce violoniste fait partie est remarquable.
9. C'est un voyage ...... tout le monde a été très content.
10. Le menu ...... on nous a servi était excellent.

6. Complétez la phrase par une proposition relative introduite par où **avec les éléments indiqués :**

A/ Il y a beaucoup de pays ...... *(j'ai envie d'aller **dans ces pays**)* ou *(j'ai envie d'y aller).*

→ *Il y a beaucoup de pays **où** j'ai envie d'aller.*

1. Il fait trop chaud dans la pièce ...... *(nous travaillons dans cette pièce).*
2. Rendez-vous dans le café ...... *(nous nous retrouvons d'habitude dans ce café).*
3. Je vais en Espagne ...... *(ma sœur vit en Espagne avec sa famille).*
4. Ils ne veulent pas habiter Lyon ...... *(ils ne connaissent personne à Lyon).*
5. Il y a toujours des embouteillages à l'endroit ...... *(je prends l'autobus à cet endroit).*
6. Le musée ...... *(les visiteurs y sont les plus nombreux)* est le Louvre.
7. La région ...... *(nous nous y trouvons)* est connue pour ses fromages.
8. Dans l'église Saint-Germain-des-Prés ...... *(j'y suis entré par hasard)*, on donnait un concert.
9. Dans la rue ...... *(j'y ai garé ma voiture)*, le stationnement est interdit.
10. L'université ...... *(nous y faisons nos études)* a un campus très agréable.

B/ Je n'oublierai jamais le moment ...... *(je suis arrivé ici **à ce moment-là**).*

→ *Je n'oublierai jamais le moment **où** je suis arrivé ici.*

1. Pourquoi arrivez-vous à l'heure ...... *(tout le monde part à cette heure-là)* ?
2. Le jour ...... *(j'ai atterri à Roissy ce jour-là)*, il neigeait.
3. Je me suis réveillé au moment ...... *(le conférencier s'est arrêté de parler à ce moment-là).*
4. L'année ...... *(mon frère est né cette année-là)*, il y a eu un tremblement de terre.
5. Te rappelles-tu l'hiver ...... *(il a fait si froid cet hiver-là)* ?

C/ Même exercice avec d'où **:**

Je ne connais pas la ville ...... *(il vient **de cette ville**).*

→ *Je ne connais pas la ville **d'où** il vient.*

1. Allez à la tour Eiffel ...... *(on voit tout Paris de cette tour).*
2. Au théâtre, nous avons réservé des places ...... *(nous verrons très bien la scène de ces places).*
3. Dans le pays ...... *(je viens de ce pays)*, il fait toujours chaud.
4. Ils ont une maison ...... *(on a une vue magnifique sur la mer de cette maison).*
5. La discothèque ...... *(nous sortons de cette discothèque)* est trop bruyante.

7.

A/ Mettez le pronom relatif composé (lequel, laquelle, lesquels, lesquelles) **après la préposition indiquée :**

La pièce dans ...... vous pénétrez était la chambre de la reine.
→ *La pièce **dans laquelle** vous pénétrez était la chambre de la reine.*

1. Véra a perdu le carnet sur ...... elle note ses rendez-vous.
2. N'oublie pas la carte magnétique sans ...... on ne peut pas entrer dans le garage.
3. Le plan avec ...... nous avons visité Toulouse était très précis.
4. Connaissez-vous les raisons pour ...... il n'y a plus d'eau ?
5. Il s'approche du comptoir derrière ...... la caissière fait ses comptes.
6. Les arbres sous ...... nous sommes assis sont centenaires.
7. Ce sont des vacances pendant ...... il ne s'est rien passé.
8. Reconnaissez-vous la route par ...... nous sommes venus ?
9. C'est une maladie contre ...... il a lutté pendant des années.
10. Nous avons admiré les vitrines devant ...... nous sommes restés longtemps.

B/ Mettez lequel (laquelle ...) **après à ou** de **(attention aux articles) :**

Voici le guichet à ...... vous devez vous présenter.
→ *Voici le guichet **auquel** vous devez vous présenter.*

1. J'habite un immeuble à côté de ...... il y a un café célèbre.
2. Les questions à ...... tu dois répondre sont très difficiles.
3. Les montagnes en face de ...... nous sommes sont superbes.
4. Ma mère a perdu des bijoux à ...... elle tenait beaucoup.
5. C'est une place autour de ...... il y a de très jolies maisons.

C/ Mettez qui **ou** lequel (laquelle ...) **après la préposition, pour remplacer des personnes :**

Le garçon avec ...... je vis est photographe.
→ *Le garçon **avec qui (avec lequel)** je vis est photographe.*

1. La jeune fille avec ...... il va se marier est mannequin.
2. Les caissières parlent avec les clientes à ...... elles rendent la monnaie.
3. Elle va quitter Justin avec ...... elle n'est jamais d'accord.
4. Tous les amis à ...... j'ai envoyé une carte de vœux m'ont répondu.
5. Le médecin chez ...... j'ai pris rendez-vous s'appelle M. Rhume.

D/ Complétez par qui **ou** lequel (laquelle ...) **après la préposition :**

1. L'église devant ...... nous sommes est de style roman.
2. C'est quelqu'un devant ...... je suis toujours intimidé.
3. Il y a des gens pour ...... l'environnement ne compte pas.
4. As-tu essayé ce produit pour ...... on fait beaucoup de publicité ?
5. Elle a épousé un garçon avec ...... elle avait été à l'école maternelle.
6. Il ne peut pas se passer de sa voiture sans ...... il ne fait rien.
7. Son amie, à ...... il téléphone tous les jours, lui manque beaucoup.
8. Le vieux monsieur à côté de ...... elle était assise avait de petits yeux rieurs.
9. Steve ne veut pas quitter son pays à ...... il est très attaché.
10. Marie se souviendra toujours du stage de ski pendant ...... elle a fait la connaissance de Peter.

8.

A/ Complétez par le pronom relatif qui convient :

1. C'est un film ...... j'ai vu trois fois.
2. Allez visiter l'exposition ...... vient de commencer.
3. Martine est une amie avec ...... Yves est allé en Grèce.
4. Le quartier ...... nous vivons est très bruyant.
5. Le formulaire ...... vous avez un exemplaire vient de la mairie.
6. Je vous présente les Cadot chez ...... j'étais à Nantes.
7. Il y a une chose à ...... l'assassin n'a pas pensé.
8. Patrick appelle le garçon à ...... il demande l'addition.
9. Charles a une passion pour les romans policiers ...... la fin est inattendue.
10. Ce ne sont pas des climats à ...... les Européens sont habitués.
11. Je connais beaucoup de gens pour ...... la vie n'est pas facile.
12. Benoît, ... était chômeur, vient de trouver du travail.
13. Il y a eu un tremblement de terre l'année ...... ils sont allés au Mexique.
14. Les photos ...... je regarde me rappellent de bons souvenirs.
15. Peux-tu me prêter le poste de radio ...... tu ne te sers pas ?

B/ Complétez par un nom devant le pronom relatif :

C'est ...... que je préfère.
→ *C'est l'actrice que je préfère.*

1. Il y a ...... qui ne prennent jamais de vacances.
2. Le guide donne ...... dont les visiteurs ont besoin.
3. Le public a écouté en silence ...... que l'orchestre a jouée.
4. À l'automne, c'est un grand travail de ramasser ...... qui sont tombées.
5. Il fait strictement ...... pour lequel son patron l'a engagé.

C/ Complétez les phrases :

1. ...... dont toute la presse parle.
2. ...... où je ne suis jamais allé.
3. ...... qui sentent bon.
4. ...... à laquelle les étrangers ne s'habituent pas.
5. ...... que j'ai rencontrés chez toi.

9.

A/ Mettez c'est (ce sont) **au début de la phrase, et** qui **ou** que **après le nom souligné :**

Valérie a téléphoné. J'aime Valérie.
→ ***C'est Valérie qui** a téléphoné. **C'est Valérie que** j'aime.*

1. Hervé m'a raconté cette histoire de cambriolage.
2. Magali a fait ce gâteau.
3. Des Brésiliens habitent l'appartement voisin.
4. Nous écoutons une valse de Chopin.
5. Il ne comprend pas vos explications.

B/ Répondez à la question par c'est (ce sont) ...... qui (que) **:**

1. Qui est-ce qui chante ?
2. Qu'est-ce qui vous intéresse le plus ?
3. Qu'est-ce que vous lisez ?

4. Qui est-ce qui vous a accompagné à la gare ?
5. Qui est-ce que vous attendez ?

C/ Complétez la proposition relative :

1. Qu'est-ce qu'un facteur ? – C'est un homme qui ......
2. Qu'est-ce qu'un écrivain ? – C'est quelqu'un qui ......
3. Qu'est-ce qu'un béret ? – C'est quelque chose que ......
4. Qu'est-ce qu'un singe ? – C'est un animal qui ......
5. Qui est Alain Delon ? – C'est un acteur que ......

D/ Répondez à la question sur le modèle précédent :

1. Qu'est-ce qu'un libraire ?
2. Qu'est-ce qu'un piéton ?
3. Qu'est ce qu'un volet ?
4. Qu'est-ce qu'une girafe ?
5. Qui était Pablo Picasso ?

E/ Mettez le verbe au passé composé à la personne qui convient :

1. C'est moi qui te *(appeler)* et c'est toi qui me *(répondre).*
2. C'est nous qui *(prévenir)* les pompiers et ce sont eux qui *(donner)* les premiers soins.
3. C'est elle qui vous *(conseiller)* ce livre et c'est vous qui le *(lire).*
4. C'est lui qui *(arriver)* le premier et ce sont elles qui *(partir)* les dernières.
5. C'est toi et moi qui *(être)* les plus heureux du monde.

10.

A/ Mettez le pronom relatif qui convient après le pronom démonstratif :

1. J'ai reçu une lettre ; c'est celle ...... j'attendais.
2. Je prends ces chaussures ; ce sont celles ...... me plaisent le plus.
3. Cette maison est celle ...... Balzac a vécu de 1840 à 1847.
4. Ce garçon est celui ...... je t'ai souvent parlé.
5. Je plains ceux ...... habitent au bord de l'autoroute.

B/ Mettez ce qui, ce que **ou** ce dont **selon le sens :**

1. Est-ce que vous savez ...... se passe ?
2. Personne n'entend ...... il dit.
3. Ici, il vaut mieux ne pas faire attention à ...... on mange.
4. Devine ...... j'ai envie !
5. Je fais ...... me plaît.
6. Il n'arrive jamais à lire ...... elle écrit.
7. Est-ce que tu comprends ...... ils parlent ?
8. Il dit tout ...... lui passe par la tête.
9. Emportez juste ...... vous aurez besoin.
10. Elle aime ...... est à la mode.
11. Êtes-vous au courant de ...... elle raconte ?
12. Dis-moi ...... t'ennuie.
13. Elle n'achète jamais ...... est très cher.
14. Que pensez-vous de ...... vous venez de voir ?
15. Il ne pourra jamais obtenir ...... il veut.

C/ Mettez le pronom démonstratif qui convient devant le pronom relatif (celui, celle, ceux, celles, ce) **:**

1. Répétez ...... que je viens de dire.
2. Cet acteur est ...... dont on parle le plus en ce moment.
3. Je ne sais pas ...... qui m'arrive.
4. Les cigarettes blondes sont ...... qu'ils préfèrent.
5. Vincent va retrouver ...... qu'il aime.
6. Mon frère est ...... qui a le costume rayé.
7. Ces meubles ne sont pas ...... que nous avons commandés.
8. Raconte ...... que tu as fait depuis ton retour.
9. Cette photo est l'une de ...... qu'il a prises à Vienne.
10. Après ...... qu'elle a dit, personne n'ose plus parler.

11. Reliez la première phrase aux suivantes par le pronom relatif qui convient :

A/ C'est un sportif ;
le public l'adore.
il s'entraîne aux U.S.A.
son entraîneur est célèbre.
les journalistes lui posent beaucoup de questions.

B/ Ce sont des gens ;
leur situation est difficile.
ils ne sont pas riches.
personne ne les aide.
les voisins ne font pas attention à eux.

C/ C'est une voiture ;
Benjamin l'a achetée d'occasion.
elle a déjà fait 50 000 kilomètres.
il en a besoin pour son travail.
il circulera beaucoup avec cette voiture.

D/ Ce sont des boutiques ;
je peux vous les recommander.
on y trouve ce qu'on veut.
elles ne sont pas trop chères.
je vous donne leur adresse.

12. Complétez les phrases suivantes :

1. Nous regardons la pluie qui ......
2. C'était l'époque où ......
3. Il ne sait pas ce que ......
4. Es-tu déjà allé à la discothèque dont ......
5. Ils emportent en voyage une carte sur laquelle ......
6. Elle fait toujours ce qui ......
7. Elle a commencé des cours de français qui ......
8. Ma famille habite la ville où ......
9. Ils ne connaissent pas la raison pour laquelle ......
10. L'immeuble a un nouveau gardien dont ......
11. Souvenez-vous de ce que ......
12. Elle a essayé une recette que ......
13. Ils reviennent d'un voyage dont ......
14. Ce livre n'est pas celui que ......

15. Ce n'est pas moi qui ......
16. Elle n'a pas vu l'homme à qui ......
17. C'est un pays où ......
18. Je ne sais pas ce dont ......
19. Il y a des gens qui ......
20. C'est un détail auquel ......

13. Remplacez l'adjectif souligné par une proposition relative de même sens :

C'est un enfant peureux.
→ *C'est un enfant qui a facilement peur.*

1. Célestine a un mari gourmand.
2. C'est un homme politique très connu.
3. Il fait un travail ennuyeux.
4. J'ai malheureusement acheté une machine très bruyante.
5. C'est une revue mensuelle.
6. Je n'aime pas les enfants menteurs.
7. C'est une femme admirable.
8. Les gens bavards n'écoutent pas les autres.
9. Il y a une émission intéressante à la télévision.
10. C'est un garçon sportif.

14.

A/ Complétez le texte par des pronoms relatifs :

Au cinéma

Le film ...... nous allons voir est un film ...... on parle beaucoup, mais ...... passe dans une salle minuscule. À l'heure ...... nous arrivons, elle est déjà pleine. L'ouvreuse, à ...... nous donnons un bon pourboire, nous trouve des places au dernier rang, mais nous ne sommes pas très loin de l'écran sur ...... les premières images apparaissent.

C'est l'histoire banale d'une femme ...... deux hommes aiment passionnément, ... la vie est compliquée, et ...... préfère finalement rester seule et libre. C'est un film ...... les critiques sont excellentes.

B/ Écrivez un petit texte du même genre, par exemple au théâtre, à l'opéra, au concert, etc., en utilisant des pronoms relatifs.

C/ Complétez le texte par des pronoms relatifs :

Portrait

Clémence, ... est d'une famille modeste, a une ambition ...... elle ne cache pas : elle veut diriger une entreprise. Ce n'est pas le travail ...... fait peur à la jeune fille, ni l'énergie ...... lui manque. D'abord petite secrétaire dans une société ...... on fait de l'import-export, elle devient l'adjointe à ...... le directeur donne de plus en plus de responsabilités. Elle est celle ...... il a toujours besoin et ...... il emmène toujours avec lui. Les affaires ...... elle s'occupe sont de plus en plus compliquées.

Et le jour ...... le directeur partira à la retraite, Clémence prendra probablement sa place !

D/ Sur le modèle du texte précédent, faites le portrait de quelqu'un que vous connaissez, en utilisant des pronoms relatifs.

15. Observez les pronoms relatifs dans les textes suivants :

A/ « Elle a refermé son livre que vous n'avez pas lu, dont vous ne lui avez même pas demandé le nom, où il pouvait être question d'un homme qui désirait aller à Rome [...].
Dans ce compartiment plein et chaud, parmi ces gens dont vous avez oublié les traits, des Français et des Italiens qui parlaient sans doute, mais dont vous n'écoutiez pas les conversations [...], vous ne regardiez que Cécile assise en face de vous qui avait repris son livre, qui ne faisait pas attention à vous [...]. »

D'après Michel Butor, *La Modification*, Éditions de Minuit.

B/ Le Message

La porte que quelqu'un a ouverte
La porte que quelqu'un a refermée
La chaise où quelqu'un s'est assis
Le chat que quelqu'un a caressé
Le fruit que quelqu'un a mordu
La lettre que quelqu'un a lue
La chaise que quelqu'un a renversée
La porte que quelqu'un a ouverte
La route où quelqu'un court encore
Le bois que quelqu'un traverse
La rivière où quelqu'un se jette
L'hôpital où quelqu'un est mort.

Jacques Prévert,
Paroles,
Éditions Gallimard.

26

Les propositions complétives. Le subjonctif

1.

A/ Écrivez le verbe au présent, et reliez les deux phrases par que **(observez le temps du deuxième verbe) :**

(penser) Corinne ...... : Alain a oublié le rendez-vous.
→ *Corinne pense **qu'**Alain a oublié le rendez-vous.*

1. *(penser)* Il ...... : la vie est belle.
2. *(trouver)* Je ...... : la visite du musée était intéressante.
3. *(croire)* Maria ...... : il s'est trompé de route.
4. *(savoir)* Ariane ...... : l'hiver est froid à Montréal.
5. *(être sûr)* Nous ...... : la fête sera réussie.

B/ Faites des propositions subordonnées complétives avec que, **en mettant les verbes au présent, au passé composé ou au futur selon le sens :**

Trouver. Yvan trouve :
— Ida *(être)* toujours insupportable.
— Ida *(être)* insupportable au dîner d'hier.
→ *Yvan trouve **qu'**Ida **est** toujours insupportable.*
→ *Yvan trouve **qu'**Ida **a été** insupportable au dîner d'hier.*

1. *Être certain.* Le juge est certain :
   – en ce moment, le témoin *(ne pas dire)* la vérité.
   – lundi dernier, le témoin *(ne pas dire)* la vérité.

2. *Dire*. Elsa dit :
   - les mathématiques la *(intéresser)*.
   - avant-hier, elle *(ne pas comprendre)* le problème.
3. *Répondre*. Bob répond :
   - il *(ne pas être)* libre pour le dîner ce soir.
   - il *(retourner)* bientôt à Deauville.
4. *Écrire*. Gaël m'écrit :
   - il *(travailler)* beaucoup en ce moment.
   - il *(perdre)* tous ses papiers d'identité jeudi dernier.
5. *Expliquer*. Nous expliquons à Fred :
   - des amis *(arriver)* chez nous hier.
   - nous *(ne pas pouvoir)* le recevoir.
6. *Annoncer*. L'hôtesse annonce aux passagers :
   - ils *(atterrir)* bientôt à Toulouse.
   - il *(faire)* 15 degrés dehors.
7. *Apprendre*. J'apprends avec surprise :
   - Helmut *(habiter)* à Grenoble.
   - il *(décider)* de rester en France.
8. *Voir*. L'infirmière voit :
   - le malade *(dormir)* toujours profondément.
   - le malade *(dormir)* bien la nuit dernière.
9. *Comprendre*. Nadia comprend :
   - Boris *(ne pas avoir)* le temps de lui écrire en ce moment.
   - Boris *(ne pas encore avoir)* le temps de lui écrire.
10. *Sentir*. Maud sent :
    - Patrice *(être)* furieux à cause d'elle.
    - Patrice *(ne plus revenir)* la voir.
11. *S'apercevoir*. Henri s'aperçoit :
    - son portefeuille *(disparaître)*.
    - il *(ne plus avoir)* d'argent pour rentrer.
12. *Se souvenir*. Est-ce que que tu te souviens :
    - nous *(aller)* au théâtre ce soir ?
    - hier soir, tu me *(promettre)* de m'emmener au théâtre ?
13. *Décider*. Ils décident :
    - à l'avenir, ils *(se réunir)* une fois par mois.
    - les réunions *(se tenir)* chez Hector.
14. *Espérer*. J'espère :
    - tu *(aller)* bien.
    - tu *(guérir)* vite.
15. *Promettre*. Pierre promet :
    - il *(arriver)* à l'heure demain.
    - il *(rentrer)* tôt dimanche prochain.

C/ Mettez le verbe entre parenthèses au temps qui convient :

1. Il est sûr que Mexico *(être)* une ville polluée.
2. Il est certain que la situation économique *(inquiéter)* les gens.
3. Il est évident que vous *(ne pas dormir)* assez.
4. Il est clair que cette situation *(ne pas pouvoir)* durer.
5. Il est vrai que je *(donner)* mon accord la semaine dernière.
6. Il est probable qu'ils *(se marier)* en septembre prochain.
7. Il paraît qu'elle *(arriver)* hier.

8. Il me semble que vous *(avoir)* raison.
9. On raconte que la boulangère *(partir)* avec le boucher.
10. On dit que l'argent *(ne pas faire)* le bonheur.

2. Mettez le verbe entre parenthèses à l'imparfait ou au plus-que-parfait selon le sens :

A/ 1. Lisa savait que son ami *(être)* toujours en retard.
2. Le clown a vu que les enfants *(rire)* pendant son numéro.
3. J'ai appris que tu *(travailler)* le samedi.
4. Le client pensait que tout *(être)* trop cher.
5. Nous étions certains qu'elle *(aller)* revenir.

B/ 1. À son retour, il s'est aperçu que quelqu'un *(entrer)* chez lui.
2. Il s'est rappelé qu'il *(ne pas encore payer)* son loyer.
3. On m'a dit que le dollar *(baisser)* beaucoup hier.
4. Je croyais qu'ils *(gagner)* ce tournoi l'année dernière.
5. Le chauffeur de taxi nous a expliqué qu'il *(finir)* déjà sa journée de travail.

3. Complétez les phrases suivantes en variant les temps :

A/ 1. Je te promets que ......
2. Mon ami pensait que ......
3. Tu espères que ......
4. Il a annoncé que ......
5. Il est probable que ......
6. J'ai cru que ......
7. Tu dis souvent que ......
8. Il paraît que ......
9. Elle savait que ......
10. Nous avons bien vu que ......

B/ 1. ...... que Patrick est intelligent.
2. ...... que la vie est difficile.
3. ...... que cette revue est intéressante.
4. ...... que l'ingénieur s'est trompé dans ses calculs.
5. ...... qu'ils s'aimaient.
6. ...... que vous arrivez souvent en retard.
7. ...... que je vous avais donné mon adresse.
8. ...... que Marguerite s'était disputée avec Bernard.
9. ...... que Martine avait réussi à son examen.
10. ...... qu'ils vous répondront très vite.

4.

A/ Mettez les verbes au subjonctif présent :

1. Il faut que je *(être)* le meilleur et que j'*(avoir)* de la chance.
2. Il faut que tu *(être)* rapide et que tu *(avoir)* des réflexes.
3. Il faut qu'il *(être)* poli et qu'il *(avoir)* du charme.
4. Il faut que nous *(être)* souriants et que nous *(avoir)* de l'humour.
5. Il faut que vous *(être)* aimables et que vous *(avoir)* de la patience.
6. Il faut qu'ils *(être)* prudents mais qu'ils *(avoir)* du courage.

B/ Mettez Il faut que **devant chaque phrase, et faites les changements nécessaires :**

1. Il a un bon travail et il est sérieux.
2. Vous avez un appartement et vous êtes bien installés.
3. Ils sont dynamiques et ils ont des idées.
4. Tu es gentil et tu as bon caractère.
5. Je suis à l'heure et je n'ai pas de retard.

5.

A/ Mettez les verbes au subjonctif présent :

1. Il veut que je *(chanter).*
2. Il veut que tu *(commencer)* à travailler.
3. Il veut qu'elle *(manger)* moins.
4. Il veut que nous *(étudier)* sa proposition.
5. Il veut que vous *(continuer)* votre travail.
6. Il veut qu'ils *(jouer)* une symphonie de Beethoven.
7. Il veut qu'on *(ouvrir)* la fenêtre.
8. Il veut qu'elles *(cueillir)* toutes les cerises.
9. Il veut que nous *(offrir)* un verre au visiteur.
10. Il veut que vous *(accueillir)* les invités.

B/ Mettez Elle veut que **devant chaque phrase, et faites les changements nécessaires :**

1. Vous remerciez ses parents.
2. Je lui offre à déjeuner.
3. Nous travaillons ensemble et nous partageons les dépenses.
4. Vous accompagnez ses amis et vous rentrez chez vous.
5. Ils photographient tous les modèles de haute couture.

C/ Mettez les verbes au subjonctif présent :

1. Elle aimerait que je la *(appeler)* au téléphone.
2. Elle aimerait que nous *(rappeler)* ces bons souvenirs.
3. Elle aimerait que tu *(jeter)* ce vieux pantalon.
4. Elle aimerait que vous ne *(jeter)* aucune de ses lettres.
5. Elle aimerait qu'il *(acheter)* une planche à voile.
6. Elle aimerait que nous *(acheter)* un nouveau bateau.
7. Elle aimerait que tu *(payer)* le dîner.
8. Elle aimerait que vous *(payer)* le cinéma.
9. Elle aimerait que je la *(croire)* toujours.
10. Elle aimerait que tu *(voir)* Ted et que nous le *(voir)* aussi.

D/ Mettez Je n'aimerais pas que **devant chaque phrase, et faites les changements nécessaires :**

1. Vous emmenez Charlotte à la discothèque.
2. On m'appelle Toto.
3. Mon fils voit ce film d'horreur.
4. Vous vous ennuyez avec moi.
5. Tu crois cette histoire.

6.

A/ Mettez les verbes au subjonctif présent :

1. Il souhaite que je *(finir)* mon travail ce soir.

2. Il souhaite qu'elle *(sortir)* et que nous *(partir)* avec elle.
3. Il souhaite qu'elle *(éteindre)* la lampe.
4. Il souhaite que vous *(lire)* son dernier roman.
5. Il souhaite que je *(mettre)* un disque de jazz.
6. Il souhaite que tu *(dire)* toujours la vérité.
7. Il souhaite que vous *(écrire)* un livre et que nous le *(traduire)*.
8. Il souhaite qu'elle *(vivre)* chez lui.
9. Il souhaite que je *(connaître)* ses parents.
10. Il souhaite que nous *(répondre)* correctement.

B/ Mettez Tu souhaites que **devant chaque phrase, et faites les changements nécessaires :**

1. Je réfléchis à ton problème.
2. Il conduit moins vite.
3. Je lirai ce poème.
4. Nous ne disons rien.
5. Les enfants dormiront tard le dimanche.

C/ Mettez les verbes entre parenthèses au subjonctif présent :

1. Je doute que tu *(boire)* moins d'alcool.
2. Je doute que tu *(recevoir)* ma lettre demain.
3. Je doute que vous *(recevoir)* votre convocation avant lundi.
4. Je doute qu'il *(prendre)* des vacances et que vous en *(prendre)* aussi.
5. Je doute qu'elles *(tenir)* leurs promesses.
6. Je doute que vous *(venir)* me demander conseil.
7. Je doute que tu *(aller)* à la montagne et que vous *(aller)* au bord de la mer.
8. Je doute qu'il *(faire)* beau demain.
9. Je doute qu'ils *(savoir)* parler l'anglais.
10. Je doute que tu *(pouvoir)* utiliser l'ordinateur.

D/ Mettez Il doute que **devant chaque phrase, et faites les changements nécessaires :**

1. Elle va à l'étranger.
2. Vous comprenez son idée.
3. Tu sais piloter un avion.
4. Ils feront des progrès.
5. Nous pourrons réaliser nos projets.

7.

A/ Mettez le premier verbe au présent, et reliez les deux phrases par que **en mettant le deuxième verbe au subjonctif présent :**

1. *Vouloir*. Je ...... : ils *(peindre)* les volets de la chambre.
2. *Souhaiter*. Ils ...... : tout *(se passer)* bien dans ton travail.
3. *Demander*. Elle ...... : quelqu'un la *(ramener)* chez elle.
4. *Accepter*. Eva ...... toujours : je lui *(dire)* la vérité en face.
5. *Refuser*. Il ...... : vous *(sortir)* par ce vilain temps.
6. *Permettre*. L'agent ...... : nous *(mettre)* notre voiture en stationnement interdit.
7. *Interdire*. La loi ...... : les enfants de moins de 13 ans *(aller)* seuls au café.
8. *Proposer*. Ils ...... : nous *(passer)* la nuit chez eux.
9. *Attendre*. Gilles ...... avec impatience : tu *(revenir)*.
10. *Avoir envie*. Jérôme ...... : ses amis le *(voir)* au volant de sa voiture.
11. *Avoir besoin*. Cet enfant ...... : vous *(s'occuper)* de lui.

12. *Avoir peur*. Gaëlle ...... : Yann *(ne pas attendre)* son retour.
13. *Aimer*. Tu ...... : on te *(servir)* le petit déjeuner au lit.
14. *Préférer*. Je ...... : il *(ne pas entendre)* notre conversation.
15. *Détester*. Je ......: quelqu'un me *(suivre)*.
16. *Regretter*. Nous ...... beaucoup : vous *(ne pas pouvoir)* rester plus longtemps.
17. *Douter*. Les hommes politiques ...... : leurs décisions *(satisfaire)* tout le monde.
18. *Être content*. Ils ...... : le nouveau T.G.V. *(s'arrêter)* dans leur ville.
19. *Être étonné*. Nous ...... toujours : les gens *(vivre)* autrement que nous.
20. *Être ennuyé*. Je ...... : vous *(ne pas encore savoir)* la date de votre départ.

B/ Mettez le verbe au subjonctif présent :

1. Il faut que tu *(savoir)* conduire.
2. Il est nécessaire que je *(partir)* de bonne heure.
3. Il vaut mieux que vous *(faire)* ce travail tout de suite.
4. Il semble que l'orage *(s'éloigner)*.
5. Il est possible que nous *(avoir)* du retard.
6. Il est important qu'il *(ne pas perdre)* de temps.
7. Il est douteux que vous *(obtenir)* ce que vous voulez.
8. Il est dommage que tu *(ne pas aller)* au Maroc avec eux.
9. Il est regrettable que vous *(devoir)* quitter la France.
10. Il est souhaitable que nous *(voir)* le responsable.

***8. Même exercice :**

1. Je ne suis pas sûr que nous *(tenir)* tous dans la voiture.
2. Êtes-vous certain que M. Tavernier *(devoir)* venir ?
3. Elle ne pense pas que son petit chien *(devenir)* très grand.
4. Pensez-vous qu'on *(réussir)* à guérir cette maladie ?
5. Je ne trouve pas que vous *(parler)* si mal le français.
6. Trouvez-vous que les Français *(être)* vraiment accueillants ?
7. Nous ne croyons pas que vous *(pouvoir)* vivre sans aide financière.
8. Croyez-vous que M. Till *(repartir)* en Autriche ?
9. J'ai longtemps attendu Justine, je n'espère plus qu'elle *(venir)*.
10. Tu mens tout le temps ; comment peux-tu espérer qu'on te *(croire)* ?
11. Je ne comprends pas qu'ils *(prendre)* toujours leur voiture.
12. Comprenez-vous que sans argent nous *(avoir)* des difficultés ?
13. Il est peu probable que nous *(trouver)* du travail tout de suite.
14. Il n'est pas évident que l'Europe *(se construire)* sans résistances.
15. Il n'est pas certain que je *(réussir)* dans la vie.

9. Complétez les phrases (attention : les deux phrases doivent avoir des sujets différents) :

A/
1. Il est impossible que ......
2. Elizabeth aimerait beaucoup que ......
3. Je suis désolé que ......
4. Tu as eu peur que ......
5. Nous ne voulions pas que ......
6. Nous sommes contents que ......
7. Il est utile que ......
8. Vous avez souhaité que ......
9. Le client demandait que ......

10. Les jeunes refuseront que ......
11. Mes parents ont accepté que ......
12. J'ai besoin que ......
13. Vous désirez que ......
14. Le gardien préfère que ......
15. Nous craignons que ......
16. Je voudrais que ......
17. Depuis une heure, j'attends que ......
18. Le règlement interdit que ......
19. Le directeur a permis que ......
20. Les étudiants sont surpris que ......

B/
1. ...... que je vienne avec vous.
2. ...... qu'elle parte sans lui.
3. ...... que vous rentriez avant minuit.
4. ...... qu'il séduise ma fille.
5. ...... qu'elle reçoive sa lettre de licenciement.
6. ...... que vous m'aidiez.
7. ...... que tu attendes inutilement.
8. ...... que personne ne sorte.
9. ...... que tout le monde soit content.
10. ...... que tu choisisses entre lui et moi.

10. Formez une seule phrase en mettant le verbe de la deuxième phrase à l'infinitif (attention : les deux phrases ont le même sujet) :

A/

Je veux bien *(**je** sors avec vous).*
→ *Je veux bien **sortir** avec vous.*

1. Steven voudrait bien *(il a des amis français).*
2. Guillemette aime beaucoup *(elle nage).*
3. Perrine a toujours souhaité *(elle gagnera un jour au Loto).*
4. Je préfère *(je t'attendrai au café).*
5. Vous désirez *(vous rencontrerez le chef de service).*

B/

As-**tu** envie *(**tu** vas à la piscine) ?*
→ *As-tu envie **d'aller** à la piscine ?*

1. Nous avons tous besoin *(nous faisons du sport).*
2. Mon frère a accepté *(il m'accompagnera à l'aéroport).*
3. Nous regrettons beaucoup *(nous ne pouvons pas vous aider).*
4. J'ai toujours peur *(je vous dérange).*
5. Nous sommes très heureux *(nous faisons votre connaissance).*

11.

A/ Reliez les deux phrases par que, **et mettez le deuxième verbe au subjonctif passé :**

Il est étonnant *(tous ont fait la même erreur).*
→ *Il est étonnant **que** tous **aient fait** la même erreur.*

1. Je regrette *(tu as décidé d'abandonner tes études).*
2. Tu es triste *(tes amis ont déjà quitté la France).*
3. Ils sont heureux *(nous avons accepté leur invitation).*
4. Elle est étonnée *(je n'ai pas encore reçu sa lettre).*
5. Il est dommage *(vous n'êtes pas allés à ce concert).*

B/ Mettez le verbe au subjonctif passé :

1. Tu regrettes qu'ils *(ne pas venir)* dimanche dernier.
2. Ils sont contents qu'elle *(trouver)* déjà une chambre.
3. Il est dommage que nous *(ne pas encore acheter)* d'appareil photo !
4. Nous regrettons que vous *(ne pas rester)* avec nous hier soir.
5. Je suis furieux que Véra *(perdre)* les clés de la voiture.

12.

A/ Complétez les phrases en mettant le verbe au subjonctif passé (avec un sujet différent) :

1. Il regrette beaucoup que l'été dernier ......
2. Je suis heureux que la semaine dernière ......
3. Nous ne sommes pas contents que dimanche dernier ......
4. Je ne crois pas qu'hier soir ......
5. Elle est désolée que l'année dernière ......

B/ Trouvez un verbe introducteur (avec un sujet différent) :

1. ...... que nos amis aient oublié notre invitation.
2. ...... qu'ils aient déjà fini les travaux.
3. ...... qu'on n'ait jamais retrouvé le coupable.
4. ...... que vous ayez aimé ce livre.
5. ...... qu'il se soit fait beaucoup d'amis pendant son séjour.

13. Mettez le verbe au subjonctif présent ou passé :

1. La bibliothécaire désire que vous lui *(rendre)* ces livres assez vite.
2. Le malade demande qu'on *(faire)* moins de bruit autour de lui.
3. Nous sommes très contents qu'Alain *(trouver)* du travail.
4. Il faudra qu'elle *(choisir)* un métier.
5. Tout le monde est furieux que les impôts *(augmenter)*.
6. Elle regrette que le coiffeur lui *(couper)* les cheveux si courts.
7. Je ne suis pas étonné qu'il *(se casser)* la jambe.
8. J'aimerais bien que vous *(prendre)* une décision.
9. Je suis désolé que vous *(oublier)* votre sac chez moi hier.
10. Je suis très content qu'il *(passer)* me voir samedi dernier.

14. Mettez le verbe au mode et au temps qui conviennent :

1. Je sais qu'il *(aller)* chez le médecin hier.
2. Pedro est étonné qu'un visa d'étudiant *(être)* nécessaire.
3. Elle refuse que les chiens *(pénétrer)* dans sa boutique.
4. Je ne suis pas sûre qu'il *(avoir)* raison.
5. Elle dit qu'elle *(arriver)* demain à 10 heures.
6. Elle est certaine qu'ils *(faire)* un beau voyage l'été prochain.
7. Pensez-vous qu'il y *(avoir)* un orage ce soir ?
8. On voit bien que vous *(ne pas savoir)* faire de ski.
9. Maintenant, il faut que chacun *(répondre)* à la question.
10. Je crois qu'elle *(accepter)* de venir chez nous jeudi prochain.
11. Les voitures attendent que le feu *(devenir)* vert.
12. Le médecin s'aperçoit que ces médicaments ne *(avoir)* aucun effet.
13. Il veut que nous *(déménager)* le 1er septembre.
14. Il est dommage que vous *(ne pas pouvoir)* assister au match d'hier.

15. Il est probable que cette championne *(battre)* son record.
16. Est-ce que tu te rappelles que le plombier *(devoir)* venir ce matin ?
17. Mme Clio remarque que son mari *(partir)* sans lui dire au revoir.
18. Pierre promet à sa mère qu'il *(aller)* bientôt chez le coiffeur.
19. Il est regrettable que vous *(perdre)* votre procès.
20. Paul est désolé que Virginie *(tomber)* malade.

15. Complétez les phrases :

1. ...... qu'il fait bien son travail.
2. ...... que je n'aimais pas les petits pois.
3. ...... qu'ils ne puissent pas venir.
4. ...... que nous avons gagné au Loto ?
5. ...... que les spectateurs aient été enthousiastes.
6. ...... qu'ils avaient déménagé ?
7. ...... qu'elles soient prêtes.
8. ...... que tu es malade.
9. ...... que vous ayez froid.
10. ...... qu'elle t'a attendu tout l'après-midi ?
11. ...... que vous n'avez pas le droit d'entrer sans payer.
12. ...... que tu aies manqué le début du film.
13. ...... qu'elle soit partie avant la fin du spectacle.
14. ...... que cette exposition est magnifique.
15. ...... que vous me rendiez mes livres.
16. ...... qu'ils réussiront l'ascension de l'Annapurna.
17. ...... que vous ne perdiez pas courage.
18. ...... que j'étais devenu un homme célèbre.
19. ...... que tu aies arrêté de fumer.
20. ...... que le chien aboie sans raison.

N.B. Voir aussi le chapitre 28 sur le conditionnel et le chapitre 30 sur le style indirect.

27

L'expression de la cause, du temps, du but, de la conséquence et de l'opposition

1 à 5.	**La cause** (parce que, car, à cause de, puisque, comme)
6.	**Le temps** (quand, lorsque, dès que, aussitôt que, pendant que, depuis que, chaque fois que)
7.	Révision
8.	L'antériorité
9.	Avant que, jusqu'à ce que (+ subjonctif)
10.	Avant de, après (+ infinitif)
11.	Révision
12.	**Le but** (pour que, pour)
13.14.	**L'opposition** (bien que)
15.16.	**La conséquence** (si ou tellement ...... que, tant de ou tellement de ...... que, tant ou tellement ...... que)
17.18.	Révision générale

1.

A/ Répondez aux questions en employant la conjonction parce que :

Pourquoi rentres-tu si tard ?
→ *Je rentre tard* ***parce que*** *j'ai discuté avec Éric.*

1. Pourquoi ne joues-tu plus au tennis ?
2. Pourquoi est-ce que vous ne me croyez pas ?
3. Pourquoi court-il ?
4. Pourquoi ne veux-tu pas manger ?
5. Pourquoi riez-vous ?

B/ Répondez en employant le mot de liaison car **:**

Pourquoi veux-tu voir ce film ?
→ *Je veux le voir* ***car*** *j'adore l'acteur principal.*

1. Pourquoi parles-tu si fort ?
2. Pourquoi pleures-tu ?
3. Pourquoi ne voulez-vous pas sortir ?
4. Pourquoi est-ce qu'Armelle mange si peu ?
5. Pourquoi n'achetez-vous pas cette maison ?

C/ Répondez en employant la préposition à cause de **dans l'une de ces expressions :**

à cause du bruit, à cause d'un accident, à cause de la chaleur, à cause d'une panne, à cause d'un cauchemar

1. Pourquoi ouvres-tu la fenêtre ?
2. Pourquoi est-ce que la circulation est arrêtée ?
3. Pourquoi est-ce qu'il n'y a pas de lumière ici ?
4. Pourquoi n'as-tu pas dormi cette nuit ?
5. Pourquoi déménagez-vous ?

***D/Complétez la phrase en employant la conjonction** puisque **ou** comme **:**

Puisque ......, nous prendrons un taxi.
→ ***Puisqu'****il y a une grève de métro, nous prendrons un taxi*
(ou ***Comme*** *il y a une grève de métro......*).

1. Puisque ......, regarde dans le dictionnaire.
2. Comme ......, prends un parapluie.
3. Puisque ......, venez au concert avec moi.
4. Comme ......, je ne peux pas dormir.
5. Puisque ......, peux-tu acheter des timbres ?

2. Complétez les phrases :

A/
1. Je n'ai pas lu ce livre parce que ......
2. Il est arrivé en retard à cause de ......
3. Je ne peux pas t'accompagner car ......
4. J'ai mis mes vieilles chaussures parce que ......
5. Peux-tu me prêter de l'argent car ......
6. Elle est très rouge à cause de ......
7. Il ne monte plus à cheval parce que ......
8. Nous n'entendons rien car ......
9. Tu ne pourras pas prendre l'avion à cause de ......
10. Ils se sont disputés parce que ......

B/
1. Puisque tu es fatigué, ...
2. Comme il avait de la fièvre, ...
3. Puisque vous ne voulez pas voir ce film, ...
4. Comme il est au chômage, ...
5. Puisque cela vous fait plaisir, ...

3. Répondez aux questions en employant des constructions différentes :

1. Pourquoi ne rit-elle jamais ?
2. Pourquoi sont-ils partis si tôt ?

3. Pourquoi est-ce que tu ne veux pas sortir ?
4. Pourquoi arrives-tu si tard ?
5. Pourquoi ne m'as-tu pas téléphoné ?
6. Pourquoi est-ce que tu ne dis rien ?
7. Pourquoi les Verdeuil ont-ils déménagé ?
8. Pourquoi achètes-tu une nouvelle voiture ?
9. Pourquoi ne vas-tu pas au marché aujourd'hui ?
10. Pourquoi est-ce que Julien ne veut pas faire de ski ?

4. Ajoutez à la proposition principale plusieurs propositions subordonnées de cause en suivant le modèle :

Je ne veux pas sortir ce soir ***parce que*** *je suis fatigué,*
que *j'ai besoin de dormir* ***et que*** *je dois me lever tôt demain.*

1. Je ne partirai pas en Grèce cet été :
   - Je n'ai pas assez d'argent.
   - Il fait trop chaud.
   - Tu ne veux pas venir avec moi.
2. Je te conseille ce livre :
   - Il est passionnant.
   - Le héros te ressemble.
   - Le style en est magnifique.
3. Stéphane se dépêche :
   - Il a peur de rater son train.
   - Il a un rendez-vous important.
   - Il ne veut pas être en retard.

5.

A/ Lisez le texte et répondez aux questions :

« Monsieur,

Vous me demandez de venir passer une huitaine de jours chez vous, c'est-à-dire auprès de ma fille que j'adore. Vous qui vivez auprès d'elle, vous savez combien je la vois rarement, combien sa présence m'enchante, et je suis touchée que vous m'invitiez à venir la voir. Pourtant, je n'accepterai pas votre aimable invitation, du moins pas maintenant. Voici pourquoi : mon cactus rose va probablement fleurir. C'est une plante très rare, que l'on m'a donnée, et qui, m'a-t-on dit, ne fleurit sous nos climats que tous les quatre ans. Or, je suis déjà une très vieille femme, et, si je m'absentais pendant que mon cactus va fleurir, je suis certaine de ne pas le voir refleurir une autre fois ... »

D'après Colette, *la Naissance du jour*, Éditions Flammarion.

1. Pourquoi la mère de Colette écrit-elle cette lettre ?
2. Pourquoi ce monsieur a-t-il invité la mère de Colette ?
3. Pourquoi Colette vit-elle chez ce monsieur ?
4. Pourquoi la mère de Colette aimerait-elle bien aller la voir ?
5. Pourquoi la mère de Colette n'ira-t-elle pas voir sa fille ?

B/ Vous êtes invité(e) chez des amis à la campagne. Vous leur écrivez pour leur expliquer pourquoi vous ne pouvez pas venir chez eux.

C/ Un ami vous demande de l'argent. Vous lui expliquez pourquoi vous ne pouvez pas lui en prêter.

6.

A/ Employez la conjonction quand **et construisez une proposition subordonnée de temps :**

(être trop fatigué), je prends des vitamines.
→ ***Quand je suis*** *trop fatigué, je prends des vitamines.*

1. *(s'ennuyer)*, je vais au cinéma.
2. *(y avoir trop de vent)*, les bateaux rentrent au port.
3. *(être malade)*, tu vas chez le médecin.
4. *(vouloir sortir)*, vous demanderez l'autorisation.
5. *(vouloir payer)*, elle s'est aperçue qu'elle n'avait pas d'argent.

B/ Même exercice avec la conjonction lorsque **:**

(prendre sa douche), il chante.
→ ***Lorsqu'il prend*** *sa douche, il chante.*

1. *(ne pas pouvoir dormir)*, je lis un roman policier.
2. *(mentir)*, Valérie devient toute rouge.
3. *(conduire)*, tu ne dois pas boire d'alcool.
4. *(le policier lui faire signe)*, il a arrêté sa voiture.
5. *(avoir une soirée libre)*, nous irons au théâtre.

C/ Même exercice avec les conjonctions dès que **ou** aussitôt que **:**

(l'avion décoller), nous accrochons nos ceintures.
→ ***Dès que*** *l'avion* ***décolle****, nous accrochons nos ceintures.*
→ ***Aussitôt que*** *l'avion* ***décolle****, nous accrochons nos ceintures.*

1. *(mon chien voir un chat)*, il aboie.
2. *(ma mère s'installer devant la télévision)*, elle s'endort.
3. *(avoir mon permis de conduire)*, j'achèterai une voiture.
4. *(apprendre la mauvaise nouvelle)*, nous sommes arrivés.
5. *(comprendre les difficultés de Boris)*, vous l'avez aidé.

D/ Même exercice avec la conjonction depuis que :

(ils être à la campagne), il pleut.
→ ***Depuis qu'ils sont** à la campagne, il pleut.*

1. *(je porter des lunettes)* je vois bien.
2. *(nous vivre ici)* nous sommes heureux.
3. *(elle travailler)*, ses résultats sont meilleurs.
4. *(tu être malade)*, ton ami te soigne.
5. *(il faire du sport)*, il se porte mieux.

E/ Même exercice avec la conjonction pendant que :

Ma mère tricote *(mon père regarder la télévision)*.
→ *Ma mère tricote **pendant que** mon père **regarde** la télévision.*

1. Elle fait la vaisselle *(son mari faire le ménage)*.
2. Tu écoutes tes disques *(ton frère jouer de la flûte)*.
3. Nous étions en voyage *(mon père être à l'hôpital)*.
4. Nous surveillons les enfants *(ils courir dans le jardin)*.
5. *(vous visiter la ville)*, je me reposerai.

F/ Même exercice avec la conjonction chaque fois que :

(voyager en bateau), je suis malade.
→ ***Chaque fois que** je **voyage** en bateau, je suis malade.*

1. *(manger du sucre)*, tu as mal aux dents.
2. *(aller dans ce restaurant)*, nous rencontrons les mêmes personnes.
3. *(venir me voir)*, il m'offrait des fleurs.
4. *(le candidat commencer à parler)*, ses adversaires se mettaient à siffler.
5. *(vous m'écrire)*, je vous répondrai.

7. Complétez les phrases :

1. Je ne peux pas manger quand ......
2. Elle fait des courses dans les magasins pendant que ......
3. Dès qu'il fait chaud, ...
4. J'éclate de rire chaque fois que ......
5. Lorsque je ne comprends pas un mot, ...
6. Aussitôt que ......, je te préviendrai.
7. Elle pleurait chaque fois que ......
8. Je te téléphonerai dès que ......
9. Je prends un taxi quand ......
10. Tu t'amuses pendant que ......
11. Je garde les enfants de ma sœur lorsque ......
12. Aussitôt que ......, il s'est mis à crier de joie.
13. Chaque fois que ......, le bébé se met à crier.
14. Il n'a pas pu s'arrêter lorsque ......
15. Nous vous inviterons quand ......
16. Dès que ......, il lui répond.
17. Je vais ranger l'appartement pendant que ......
18. Elle rougissait chaque fois que ......
19. Quand j'ai des problèmes, ...
20. Lorsque tu t'arrêteras de fumer, ...

8. Reliez les deux phrases par la conjonction indiquée et accordez le verbe (attention à l'emploi des temps) :

A/ Depuis que *(ils partir)*, j'écris souvent aux enfants.
→ ***Depuis qu'ils sont partis***, *j'écris souvent aux enfants.*

1. Depuis que *(il tomber)*, il a mal à la jambe.
2. Quand *(Boris prendre son bain)*, il boit un whisky.
3. Depuis que *(je arriver)*, il n'arrête pas de pleuvoir.
4. Aussitôt que *(il lire un livre)*, il en lit un autre.
5. Dès que *(tu finir une cigarette)*, tu en fumes une autre !

B/ L'hiver, quand *(skier)*, nous buvions du vin chaud.
→ *L'hiver,* ***quand nous avions skié****, nous buvions du vin chaud.*

1. Quand *(boire son lait)*, le chat se mettait toujours à ronronner.
2. Le matin, dès que *(nous prendre le petit déjeuner)*, je partais travailler.
3. Le soir, lorsque *(passer la journée à l'école)*, les enfants rentraient très fatigués.
4. Pendant les vacances, quand *(se baigner)*, nous avions toujours du sel dans les cheveux.
5. Aussitôt que *(mes parents se disputer)*, ils se réconciliaient.

C/ Même exercice et mettre le futur antérieur dans la proposition subordonnée :

Quand *(passer ton permis)*, tu pourras conduire.
→ ***Quand tu auras passé*** *ton permis, tu pourras conduire.*

1. Dès que *(prendre ma décision)*, je serai plus calme.
2. Quand *(finir de téléphoner)*, pourras-tu passer l'aspirateur ?
3. Lorsque *(voir ce film)*, vous pourrez en parler.
4. Aussitôt que *(obtenir ton visa)*, tu pourras partir en Chine.
5. Lorsque *(réfléchir)*, vous donnerez votre réponse.
6. Quand *(fumer toutes ces cigarettes)*, tu videras ton cendrier.
7. Dès que *(maigrir un peu)*, elle se sentira mieux.
8. Aussitôt que *(leurs parents partir)*, les enfants inviteront leurs copains.
9. Lorsque *(se lever)*, il ira chercher des croissants.
10. Quand *(ton mari vendre sa moto)*, vous pourrez acheter une voiture.

9.

A/ Reliez les deux phrases en employant la conjonction avant que. **(Remarquez les sujets différents et l'emploi du subjonctif) :**

Je t'offre un dernier verre. Tu partiras.
→ *Je t'offre un dernier verre* ***avant que tu (ne) partes****.*

1. Elle prépare le repas. Son mari arrivera.
2. Elle habille ses enfants chaudement. Ils sortiront.
3. Téléphone vite à ton copain. Tes parents rentreront.
4. Au théâtre, le public bavarde. Le rideau se lèvera.
5. Nous nous installons à nos places. Le train partira.

B/ Même exercice avec la conjonction jusqu'à ce que :

Helen garde mes enfants. Je reviendrai.
→ *Helen garde mes enfants* ***jusqu'à ce que je revienne****.*

1. L'enfant pleure. Sa mère le prendra dans ses bras.
2. Elle achète des vêtements et elle n'aura plus d'argent.

3. Il continuera de parler et les gens s'en iront.
4. Tu vivras chez tes parents. Tu seras indépendant.
5. Je t'attendrai. Tu pourras venir.

10.

A/ Reliez les deux phrases par la préposition avant de **suivie d'un infinitif. (Les deux verbes doivent avoir le même sujet) :**

Tu n'oublieras pas de prendre les clés et **tu** sortiras.
→ *Tu n'oublieras pas de prendre les clés* ***avant de sortir****.*

1. Tu dois vendre ton appartement et tu achèteras la maison de tes rêves.
2. Je demanderai conseil et je te donnerai ma réponse.
3. Ils boiront un café et ils se sépareront.
4. Nous avons essayé beaucoup de voitures ; nous avons choisi celle-ci.
5. Christian lisait toujours un peu et il s'endormait.

B/ Reliez les deux phrases par la préposition après **suivie d'un infinitif passé :**

Ils ont dansé toute la nuit, **ils** sont épuisés.
→ ***Après avoir dansé*** *toute la nuit, ils sont épuisés.*

1. Vous avez mangé toutes ces cerises, vous allez être malades.
2. Tu as repeint ta chambre, peux-tu repeindre la cuisine ?
3. Je suis rentré chez moi, je me couche immédiatement.
4. Il avait plongé, Victor avait mal aux oreilles.
5. Nous avions pris un bain, nous nous mettions au soleil.

11. Complétez les phrases par un verbe :

1. Il s'est couché après ......
2. Avant de ......, tu dois obtenir un visa.
3. Fais vite les courses avant que ......
4. Elle a attendu son ami au café jusqu'à ce que ......
5. Ferme bien toutes les portes avant de ......
6. Tu pourras te reposer après ......
7. Ma mère a préparé le repas avant que ......
8. Reste avec moi jusqu'à ce que ......
9. Le joueur de tennis se concentrait toujours avant de ......
10. Après ......, je ne retrouve plus mes affaires.

12.

A/ Reliez les deux phrases par la conjonction de but pour que **(attention le verbe est au subjonctif et les sujets des deux verbes sont différents) :**

Les scientifiques font des recherches. La science progressera.
→ *Les scientifiques font des recherches* ***pour que*** *la science* ***progresse****.*

1. Les joueurs font des efforts. Leur équipe gagnera.
2. Nous parlons à voix basse. Le bébé ne se réveillera pas.
3. La vendeuse est aimable. La cliente sera satisfaite.
4. Je lui envoie une invitation. Il viendra à ma soirée.
5. J'allume le chauffage. Il fera plus chaud.

B/ Reliez les deux phrases par la préposition pour **suivie de l'infinitif (le sujet est le même pour les deux verbes) :**

Nous jouons au Loto. **Nous** gagnerons de l'argent.
→ *Nous jouons au Loto **pour gagner** de l'argent.*

1. Elle sourit toujours. Elle séduira les gens.
2. Je fais un régime sévère. Je maigrirai.
3. Auras-tu assez de temps ? Tu iras chez le dentiste.
4. Ils ont fait des économies. Ils achèteront un bateau.
5. Habille-toi chaudement. Tu ne t'enrhumeras pas.

C/ Complétez les phrases par un verbe à l'infinitif ou une proposition subordonnée :

1. J'emploie un stylo bleu pour ......
2. Comment lui expliqueras-tu la situation pour que ......
3. Dépêchez-vous pour ......
4. Nous prenons beaucoup de photos pour ......
5. Je vais t'aider pour que ......

13. Reliez les deux phrases par la conjonction d'opposition bien que **(attention, le verbe est au subjonctif) :**

Elle est ravissante, **mais** les garçons ne la regardent pas.
→ ***Bien qu'****elle* ***soit*** *ravissante, les garçons ne la regardent pas.*

1. Sa maison est très jolie, mais elle ne l'aime pas.
2. Elle a tout pour être heureuse, mais elle se plaint tout le temps.
3. Vous mangez beaucoup, pourtant vous ne grossissez pas.
4. Il prend souvent l'avion, pourtant il en a peur.
5. Cette femme est remarquable, pourtant son mari l'a quittée.
6. Tu peux m'accompagner au cinéma, mais tu ne le veux pas.
7. Il dort beaucoup, pourtant il a toujours l'air fatigué.
8. Tu connais le numéro de téléphone d'Éric, mais tu ne veux pas me le donner.
9. Je sais où se trouvent tes clés, mais je ne te le dirai pas.
10. Son studio est tout petit, mais il est très confortable.

14. Reliez les deux phrases par la conjonction bien que **(attention, le verbe est au subjonctif passé) :**

J'ai déjà vu ce film, **mais** je retournerai le voir.
→ ***Bien que*** *j'****aie déjà vu*** *ce film, je retournerai le voir.*

1. Nous avons déjà dîné, mais nous avons encore faim.
2. Il a dormi longtemps, mais il a encore sommeil.
3. Je suis déjà allé chez Max, mais je ne sais pas y retourner.
4. Nous sommes tombés plusieurs fois hier, mais nous voulons encore faire du ski.
5. Tu as compris ton erreur, mais tu continues.

15.

A/ Faites une proposition subordonnée de conséquence avec si ...... que **ou** tellement ...... que **:**

Il est **très** gentil. Tout le monde l'adore.
→ *Il est **si** gentil **que** tout le monde l'adore.*
→ *Il est **tellement** gentil **que** tout le monde l'adore.*

1. Elle est très jolie. Tous les hommes se retournent quand elle passe.
2. Nous étions très fatigués. Nous sommes allés nous coucher.
3. Le T.G.V. va très vite. Nous serons bientôt arrivés.
4. L'avocat parle très bien. Il a gagné le procès.
5. Cette histoire est très triste. Je vais pleurer.

B/ Même exercice avec tant de ...... que **ou** tellement de ...... que :

Il a **beaucoup d'**argent. Il peut tout acheter.
→ *Il a **tellement d'**argent **qu'**il peut tout acheter.*
→ *Il a **tant d'**argent **qu'**il peut tout acheter.*

1. Nous avons beaucoup de travail. Nous ne pourrons pas sortir ce soir.
2. Il y a beaucoup de nuages. On ne voit pas le soleil.
3. J'ai beaucoup d'amis. Je ne peux pas les inviter tous.
4. Tu as beaucoup de chance. Tu gagnes toujours.
5. Il y a beaucoup de bruit dehors. Je n'entends pas la radio.

C/ Même exercice avec tant que **ou** tellement que :

Il fume **beaucoup.** Il a souvent mal à la gorge.
→ *Il fume **tant qu'**il a souvent mal à la gorge.*
→ *Il fume **tellement qu'**il a souvent mal à la gorge.*

1. Il pleut beaucoup. Nous sommes tout mouillés.
2. Tu bois beaucoup. Tu vas être ivre.
3. Ils s'aiment beaucoup. Ils ne se quittent jamais.
4. Elle rit beaucoup. Elle ne peut plus s'arrêter.
5. Le soleil brille beaucoup. J'ai trop chaud.

D/ Même exercice avec tant ...... que **ou** tellement ...... que :

Il a **beaucoup** marché. Il est épuisé.
→ *Il a **tellement** marché **qu'**il est épuisé.*

1. J'ai beaucoup bu. J'ai la tête qui tourne.
2. Nous avons beaucoup bavardé. Nous n'avons plus rien à dire.
3. Il a beaucoup neigé. Les rues sont toutes blanches.
4. Elle a beaucoup pleuré. Elle a les yeux tout rouges.
5. Ils ont beaucoup couru. Ils ne peuvent plus respirer.

16. Complétez les phrases :

1. Il a tellement de force que ......
2. Elle est si désagréable que ......
3. Il ment si souvent que ......
4. J'ai tellement maigri que ......
5. Tu as tant de problèmes que ......
6. Nous avons tant voyagé que ......
7. Ce sac coûte si cher que ......
8. Vous criez tellement que ......
9. Il est tellement beau que ......
10. Ils ont tant de livres que ......

17. Même exercice :

1. Je vais faire mes courses pendant que ......
2. Il a tellement grandi que ......

3. Elle a toujours le sourire bien que ......
4. Téléphone au plombier pour que ......
5. Je ne pourrai pas danser ce soir parce que ......
6. Écris-moi dès que ......
7. Puisque ......, je ne t'inviterai pas.
8. Patrick est si paresseux que ......
9. Elle a fait des économies pour ......
10. Le bébé a crié jusqu'à ce que ......

18. Complétez les phrases du texte par des conjonctions ou des prépositions :

La vie d'une danseuse

Huit heures ! Coralie doit se lever. ...... avoir pris son petit déjeuner et sa douche, ... s'être habillée rapidement, elle sort ...... aller au conservatoire.

...... elle arrive, les autres danseurs sont déjà là, et elle doit se dépêcher ...... son professeur ne se mette pas en colère.

Une longue journée commence alors. Elle va faire ses exercices à la barre, elle va travailler ...... elle ne puisse plus lever un bras ni remuer un pied. Mais, ... elle soit à bout de force, elle doit sourire ...... une danseuse ne doit jamais montrer sa fatigue. ...... elle est en train de danser, elle pense au prochain ballet. Elle pense qu'elle ne sera jamais prête.

...... quitter le conservatoire, elle demande à son professeur ses derniers conseils, ses dernières recommandations. Il y a ...... détails à régler, ... choses à mettre au point ...... elle est très inquiète.

...... elle rentre chez elle, Coralie est ...... fatiguée ...... elle n'a même pas la force de téléphoner à sa meilleure amie ...... lui parler de ses joies, de sa peur du jour de la représentation.

...... elle a décidé d'être danseuse, Coralie est heureuse mais angoissée ...... ce n'est pas facile d'être danseuse étoile !

28 Le conditionnel

1. Écrivez au conditionnel présent *(fiction)* :

A/ Je serai président de la République.
→ *Je serais président de la République.*

1. Tu seras mon Premier Ministre.
2. Tu choisiras tes ministres.
3. Nous aurons beaucoup de travail.
4. Je parlerai souvent à la télévision.
5. Nous voyagerons beaucoup.
6. Nous irons dans de nombreux pays.
7. Je ferai de longs discours.
8. Je mangerai du foie gras et je boirai du champagne.
9. Je grossirai peut-être un peu.
10. Mais je pourrai faire tout ce que je voudrai !

B/
1. Je *(être)* le papa.
2. Tu *(être)* la maman.
3. Nous *(avoir)* un bébé.

4. Nous *(habiter)* à la campagne.
5. Nous *(inviter)* beaucoup d'amis.
6. Catherine *(vivre)* près de chez nous.
7. Elle *(venir)* souvent nous voir.
8. Philippe et Denis nous *(rendre visite)* aussi parfois.
9. Ils nous *(apporter)* beaucoup de gâteaux.
10. Nous *(être)* très heureux.

2.

A/ Écrivez au conditionnel présent *(désir)* :

1. Je *(aimer)* voyager avec toi, et toi, ne *(vouloir)*-tu pas aller au bout du monde ?
2. Je *(vouloir)* tout voir, tout connaître, et vous, ne *(aimer)*-vous pas visiter le monde entier ?
3. Je *(aimer)* vivre à la campagne, mais mon mari *(préférer)* vivre dans une grande ville.
4. Mon mari et moi, nous *(vouloir)* une petite fille, mais nos enfants *(préférer)* un petit frère.
5. Je *(aimer)* beaucoup voir ce film, et vous, ne *(vouloir)*-vous pas le voir ?

B/ Et vous, qu'est-ce que vous aimeriez faire ?

3. Imitez le modèle suivant *(futur du passé)* :

Il dit qu'il t'aimera toujours.
→ *Il **a dit** qu'il t'**aimerait** toujours.*

1. Tu dis que ton fils partira demain.
   Tu as dit que ......
2. Je pense que les Pasquier ne pourront pas nous recevoir.
   J'ai pensé que ......
3. Je suis sûr que tu réussiras.
   J'étais sûr que ......
4. Ils croient que je ne comprendrai jamais rien.
   Ils croyaient que ......
5. Je suis certain qu'elle sera en retard.
   J'étais certain que......
6. Je pense qu'Éric ne saura jamais parler couramment le chinois.
   Je pensais que ......
7. Vous dites que vous n'irez plus dans ce restaurant.
   Vous avez dit que ......
8. Il est évident qu'ils divorceront.
   Il était évident que ......
9. Je vous promets que nous travaillerons ensemble.
   Je vous avais promis que ......
10. Je t'affirme que j'achèterai cette maison.
    Je t'avais affirmé que ......

4. Écrivez au conditionnel présent *(hypothèse)* :

Bernard *(être)* malade ? Je n'en suis pas sûr.
→ *Bernard **serait** malade ? Je n'en suis pas sûr.*

1. Julien n'a pas encore reçu les résultats de son examen. Il y *(avoir)*, paraît-il, peu de reçus.

2. D'après ce journal, le prix des loyers *(augmenter)* de 5 % le mois prochain.
3. Jacotte et Pierre vivent ensemble depuis longtemps. D'après leurs amis, ils se *(marier)* bientôt.
4. Il y a eu un incendie dans un hôtel. Trois personnes *(être)* gravement brûlées.
5. D'après certaines informations, le gouvernement *(envoyer)* des secours aux victimes des inondations.

5. Écrivez au conditionnel présent *(politesse)* :

1. Je *(vouloir)* essayer cette paire de chaussures, s'il vous plaît.
2. Est-ce que vous *(pouvoir)* m'aider ?
3. *(Prendre)*-vous un peu plus de thé ?
4. Est-ce que tu *(accepter)* de m'accompagner au cinéma ?
5. Mon chéri, *(avoir)*-tu la gentillesse de m'acheter ce manteau de vison ?

6. Écrivez au conditionnel présent *(conseil)* :

A/
1. Ne lis pas ce livre, il n'est pas intéressant. Tu *(devoir)* plutôt lire celui-ci.
2. Tu es très fatigué. Il *(falloir)* que tu te reposes.
3. Tu t'es encore disputé avec ton frère. Il *(valoir mieux)* que tu t'expliques avec lui.
4. Cette voiture n'est pas très économique. Vous *(devoir)* acheter celle-ci, ce *(être)* mieux pour vous.
5. À ta place, je ne *(aller)* pas voir ce film. Les critiques sont mauvaises.

B/ En employant un verbe au conditionnel présent, que diriez-vous à un ami qui :
1. Fume trop.
2. Mène une vie trop fatigante.
3. Ne lit pas assez.
4. Regarde trop la télévision.
5. Veut acheter une cravate qui ne lui va pas.

7. Écrivez au conditionnel passé *(regret)* :

A/ ***J'aurais aimé** voir cette exposition ; je **serais allé** la voir avec plaisir, mais je n'ai pas eu le temps.*

1. Je *(vouloir)* être pianiste.
2. Je *(jouer)* toute la journée.
3. Je *(donner)* des concerts.
4. Je *(avoir)* du succès.
5. On me *(applaudir)*.
6. On *(parler)* de moi dans les journaux.
7. Je *(aller)* dans toutes les villes, dans tous les pays.
8. On me *(recevoir)* comme un prince.
9. Toutes les femmes *(être)* à mes pieds.
10. Je *(être)* riche, célèbre. Mais ... je ne suis qu'un modeste employé des postes !

B/ Et vous, qu'est-ce que vous auriez aimé être ?

8. Écrivez au conditionnel passé *(hypothèse dans le passé)* :

*Philippe a été très malade : il **aurait eu** beaucoup de fièvre et **serait resté** couché plusieurs jours.*

1. Il y a eu un accident hier. Cet accident *(causer)* la mort de deux personnes.
2. Le fils de ma voisine a l'air content : il *(réussir)* à son examen.
3. On a arrêté deux jeunes gens : ils *(voler)* une voiture.
4. Jean s'est cassé la jambe : il *(tomber)* en faisant du ski.
5. La jeune femme est seule depuis six mois : son mari *(partir)* avec sa jeune sœur.

9. Mettez le verbe au conditionnel passé en imitant le modèle *(futur antérieur du passé)* :

Je suis sûr qu'à 9 heures il aura déjà mangé.
→ *J'étais sûr qu'à 9 heures il **aurait** déjà **mangé**.*

1. Je suis certain qu'elle aura fait sa valise longtemps à l'avance.
   J'étais certain que ......
2. Elle m'affirme qu'elle aura fini ce travail avant moi.
   Elle m'a affirmé que ......
3. Il dit que, le 1er décembre, il sera déjà parti.
   Il a dit que ......
4. Je pense qu'ils seront déjà rentrés à ce moment-là.
   Je pensais que ......
5. Je te promets que je t'aurai remboursé avant la fin du mois.
   Je t'ai promis que ......

10. Mettez le verbe au temps qui convient *(condition)* :

A/

Si je *(avoir)* le temps, je viendrai te voir demain.
→ *Si j'**ai** le temps, je **viendrai** te voir demain.*

1. Si je *(manger)* trop, je grossirai.
2. Si vous me *(écrire)*, je vous répondrai.
3. Si tu me *(écouter)*, tu comprendras la situation.
4. Si nous *(acheter)* trop de choses, nous n'aurons plus d'argent.
5. Si ton chien *(être)* méchant, attache-le !

B/

Si je *(avoir)* le temps, je viendrais te voir.
→ *Si j'**avais** le temps, je **viendrais** te voir. (Mais, je suis désolé, je n'ai pas le temps).*

1. Si je *(rencontrer)* un fantôme, j'aurais très peur.
2. Si vous me *(rendre visite)*, je serais très content.
3. Si tu *(vivre)* en Égypte, tu ne supporterais pas la chaleur.
4. Si nous *(avoir)* plus de place dans notre studio, nous pourrions acheter un piano.
5. Si Patricia *(prendre)* ses médicaments, elle irait mieux.

C/

Si je *(avoir)* le temps, je serais venu te voir.
→ *Si j'**avais eu** le temps, je **serais venu** te voir. (Mais je n'ai pas eu le temps).*

1. Si je *(prendre)* l'avion, je serais allé plus vite.
2. Si vous *(aller)* chez les Valdon, vous auriez rencontré Éric.
3. Si tu *(partir)* plus tôt, tu n'aurais pas manqué l'autobus.
4. Si Anne *(voir)* ce film, elle l'aurait sûrement aimé.
5. Si nous *(pouvoir)* te prévenir, nous l'aurions fait.

11.

A/ Mettez les verbes au temps qui convient :

1. Si tu *(être)* aimable, tu aurais des amis.
2. S'il *(faire)* plus chaud, je serais allé me baigner.
3. Si tu *(venir)* chez moi, je te montrerai mon nouveau canapé.
4. Si vous *(vouloir)* faire un effort, vous comprendriez.
5. Si tu *(savoir)* la vérité, est-ce que tu me la dirais ?
6. Si vous trouviez un chat abandonné, que *(faire)*-vous ?
7. S'il était arrivé en retard, qu'est-ce que tu lui *(dire)* ?
8. Si Jules et Jim se rencontrent, qu'est-ce qui se *(passer)* ?
9. Si tu ne veux pas voir ce film, nous *(aller)* en voir un autre.
10. Si Fred avait eu plus d'argent, il *(partir)* aux Bermudes.

B/ Complétez les phrases :

1. Si nous n'avions pas d'enfants ......
2. Si Paul nous avait expliqué le chemin ......
3. Si tu mangeais moins ......
4. Si vous cherchez un appartement ......
5. Si j'étais moins paresseux ......
6. ......, est-ce que tu m'écrirais tous les jours ?
7. ......, je viendrai te chercher.
8. ......, nous déménagerions.
9. ......, est-ce qu'il aurait été plus heureux ?
10. ......, vous n'auriez jamais trouvé sa maison.

12. Répondez aux questions selon le modèle suivant :

Qu'est-ce que tu feras si tu échoues à l'examen ?
→ *Si j'échoue à l'examen, je recommencerai.*

A/ Qu'est-ce que tu feras ?

1. Si tu rates ton train.
2. Si ta voiture tombe en panne.
3. Si tu as mal aux dents.
4. Si tu ne peux pas dormir.
5. Si tu es trop malheureux.

B/ Qu'est-ce que Laure ferait ?

1. Si un homme la suivait.
2. Si son chien s'échappait.
3. Si Christian ne l'aimait plus.
4. Si elle perdait son travail.
5. Si elle ne pouvait plus chanter.

C/ Qu'est-ce que ses parents auraient fait ?

1. Si elle n'était pas rentrée à minuit.
2. Si elle ne leur avait pas téléphoné.
3. Si elle ne leur avait pas expliqué son retard.
4. S'ils l'avaient rencontrée avec Cyril.
5. Si Cyril ne leur avait pas plu.

13. Mettez les verbes au temps qui convient :

A/ Ah ! Si je pouvais !

Je me *(transformer)* en oiseau, je *(partir)*, je *(voyager)*, je *(suivre)* les bateaux. Je me *(arrêter)* dans une île, je me *(reposer)*, je *(rester)* longtemps à contempler la mer ; je *(écouter)* le vent dans les arbres, et puis, je me *(envoler)*, je *(repartir)*, je *(poursuivre)* les bateaux.

Je *(vouloir)* tant être un oiseau !

Je *(aimer)* tant m'envoler !

B/ Et vous, qu'est-ce que vous feriez si vous en aviez la possibilité ?

14.

A/ Lisez le texte suivant :

Si tu épouses Peter, ta vie changera complètement. Tu quitteras tes parents, tu laisseras tes amis. Tu iras dans un autre pays, tu verras d'autres paysages, tu te feras d'autres amis, tu mangeras autrement, tu vivras autrement. Tu auras ton appartement, mais tu devras faire le ménage et la lessive, tu repasseras les chemises de ton mari. Tu recevras sa famille, ses amis. Tu ne seras plus tout à fait libre.

B/ Récrivez le texte précédent en commençant par :

1. Si tu épousais Peter ......
2. Si tu avais épousé Peter ......

15.

A/ Lisez le texte suivant :

Le petit Benoît dit que, quand il sera grand, il prendra le métro tout seul, qu'il ira au café avec ses copains, qu'il pourra conduire, qu'il achètera tout ce dont il aura envie, qu'il fera ce qu'il voudra, qu'il ne sera plus obligé d'obéir à ses parents. Il dit aussi qu'il lira les livres défendus, qu'il verra les films interdits, qu'il fumera, qu'il boira du vin, qu'il sortira avec ses amis. Il décide qu'ils iront dans les discothèques et qu'ils danseront jusqu'au matin. Il dit enfin qu'il aura son studio, qu'il sera indépendant et que ce sera vraiment bien quand il sera grand !

B/ Récrivez le texte précédent en commençant par :

Benoît a dit que ......

29 La forme passive

1. Mettez le verbe à la forme passive au présent de l'indicatif :

James recherche la gloire, mais Eva, elle, *(rechercher)* par les metteurs en scène.
→ *James recherche la gloire, mais Eva, elle,* ***est recherchée par*** *les metteurs en scène.*

1. Carita coiffe mon actrice préférée, mais moi, je *(coiffer)* par Martine.
2. Christian Dior habille ton acteur préféré, mais toi, tu *(habiller)* par une petite couturière.
3. L'Oréal maquille les stars, mais elle, elle *(maquiller)* par une jeune esthéticienne.
4. Les plus grands médecins soignent les hommes politiques, mais lui, il *(soigner)* par un médecin de quartier.
5. Les grands couturiers reçoivent les gens célèbres, mais nous, nous *(recevoir)* par des amis.
6. De charmantes hôtesses accueillent les clients, mais vous, vous *(accueillir)* par des employés désagréables.
7. Un taxi nous emmène à la gare, mais eux, ils *(conduire)* par leur chauffeur.
8. Personne ne nous photographie, mais les actrices, elles *(poursuivre)* par les photographes.
9. Quand on est connu, on *(interroger)* souvent par les journalistes.
10. Est-ce que vous *(fasciner)* par la vie de ces célébrités ?

2.

A/ Mettez le verbe à la forme passive successivement à l'imparfait, au futur et au passé composé :

1. Ce film *(réaliser)* par un jeune Polonais.
2. Cette émission *(produire)* par Étienne Balou.

3. Cet orchestre *(diriger)* par Piganino.
4. Ces sonates *(composer)* par un musicien inconnu.
5. Les programmes du concert *(vendre)* par les ouvreuses.

B/ Mettez le verbe à la forme passive au temps indiqué :

1. *Présent.* Notre voyage *(organiser)* par l'agence Balador.
2. *Futur.* Vous *(accompagner)* par un bon guide.
3. *Imparfait.* Nous *(ne pas intéresser)* par sa proposition.
4. *Passé composé.* Cette pièce de théâtre *(écrire)* par Jean Anouilh.
5. *Plus-que-parfait.* Ce tableau *(peindre)* par Picasso avant son installation en France.
6. *Passé composé.* Ces photographies *(prendre)* par un amateur.
7. *Futur.* Des secours *(envoyer)* par plusieurs pays.
8. *Plus-que-parfait.* Une augmentation *(promettre)* par le directeur.
9. *Présent.* Cette voiture de course *(ne pas conduire)* par Yvan Trust.
10. *Imparfait.* Cette émission de télévision vous *(offrir)* par Coca-Cola.

3.

A/ Mettez la phrase à la forme passive en gardant le même temps :

Tante Yvonne prépare le repas.
→ *Le repas* ***est préparé par*** *tante Yvonne.*

1. Madame Irma prédit l'avenir.
2. Une jolie femme conduisait notre taxi.
3. Le directeur vous recevra demain matin.
4. Francine n'a pas fait ce gâteau.
5. L'employé contrôle les billets des voyageurs.
6. La famille n'avait pas appelé le médecin.
7. Son sourire m'a consolé.
8. Les pompiers ont maîtrisé l'incendie.
9. Les pluies acides détruisent les forêts.
10. L'entraîneur choisira les joueurs de l'équipe nationale.

B/ Mettez la phrase à la forme active en gardant le même temps :

Le soleil est caché par les nuages.
→ *Les nuages* ***cachent*** *le soleil.*

1. Une tempête est prévue par la météo.
2. Ma plus belle chaise a été cassée par le gros Charles.
3. J'ai été invité par des amis indiens.
4. Ce grand projet sera réalisé par un architecte étranger.
5. Nous avons été déçus par le résultat du match.
6. Les artistes étaient applaudis par les spectateurs enthousiastes.
7. Un chat abandonné a été recueilli par Dorothée.
8. Une erreur de calcul avait été faite par le comptable.
9. Elle est défendue par un bon avocat.
10. Cette décision sera approuvée par tout le monde.

4.

A/ Mettez à la forme active :

Un repas gastronomique sera servi à bord du Concorde.
→ ***On servira*** *un repas gastronomique à bord du Concorde.*

1. Avant le départ de l'avion, tous les bagages sont contrôlés.
2. Une valise suspecte a été découverte dans la salle de transit.
3. Le pilote a été prévenu.
4. Un léger retard a été annoncé aux passagers.
5. Après cet incident, les passagers sont invités à monter à bord.

B/ Mettez le verbe entre parenthèses à la forme passive :

Ma voiture peut *(réparer)* par le garagiste.
→ *Ma voiture **peut être réparée** par le garagiste.*

1. Les animaux aiment *(caresser)* par leurs maîtres.
2. Julie espère *(engager)* par le directeur d'une société d'informatique.
3. Ce médicament ne doit pas *(prendre)* sans ordonnance.

C/ Mettez les phrases à la forme passive :

Le public va écouter le chanteur.
→ *Le chanteur **va être écouté par** le public.*

1. Gloria va donner un concert à Montpellier.
2. La chanteuse va interpréter les chansons les plus populaires.
3. Le spectacle va enthousiasmer les jeunes.

D/ Même exercice :

Le directeur vient de féliciter le journaliste.
→ *Le journaliste **vient d'être félicité** par le directeur.*

1. Un réalisateur vient de créer une nouvelle émission.
2. Le producteur vient de donner l'accord nécessaire.
3. Les journaux viennent de publier les sondages.

E/ Mettez les phrases à la forme active :

1. L'électricité a été coupée pendant une demi-heure.
2. Trois tableaux de Monet viennent d'être volés par deux bandits masqués.
3. Le vin est mis en bouteille au château.
4. Ce livre va être traduit par un de mes amis.
5. Les travaux ne pourront pas être exécutés par l'entreprise avant trois mois.

5. Mettez à la forme passive :

1. On vient de tuer Ève Marceau.
2. Le commissaire Leblond va mener l'enquête.
3. Son adjoint recherche des témoins.
4. M. Leblond interroge les voisins et la concierge.
5. La concierge donne le nom d'un ami de la victime.
6. La jeune fille recevait souvent un jeune homme bizarre.
7. Une voisine avait vu ce garçon dans l'escalier le soir du crime.
8. Les voisins avaient entendu des cris.
9. On avait trouvé la cravate verte du jeune homme dans la poubelle.
10. À votre avis, est-ce que le commissaire arrêtera le criminel ?

Le style indirect

30

1. Mettez les phrases au style indirect :

A/ « Il fait beau aujourd'hui ». Que dit-il ?
→ *Il dit **qu'il** fait beau aujourd'hui.*

1. « Il y a beaucoup de monde dans le métro ». Que dit-il ?
2. « Ce magasin est fermé ». Que dit-il ?
3. « Il pleuvra demain ». Que dit-il ?
4. « Les enfants n'ont rien mangé ». Que dit-il ?
5. « Ils ne regarderont pas la télévision ». Que dit-il ?

B/ « Je suis fatiguée ». Que dit-elle ?
→ *Elle dit **qu'elle** est fatiguée.*

1. « Je vais me coucher ». Que dit-elle ?
2. « Nous avons acheté une nouvelle voiture ». Que disent-ils ?
3. « J'irai en Espagne cet été ». Que dit-il ?
4. « Je ne t'ai pas écrit souvent parce que je n'avais pas le temps ». Que dit-il à sa mère ?
5. « Nous ne vous oublierons jamais ». Que disent-ils à leurs amis ?

2. Même exercice :

A/ « Es-tu contente ? » Qu'est-ce que Vincent demande à Julie ?
→ *Il lui demande **si elle** est contente.*

1. « As-tu passé une bonne soirée ? » Que demande-t-il à Brigitte ?
2. « Viendras-tu au théâtre avec moi ? » Que demande-t-elle à Max ?
3. « Vas-tu souvent au théâtre ? » Qu'est-ce qu'il demande à Brigitte ?

4. « Avez-vous vu ce film ? » Que demande-t-elle à ses amis ?
5. « Irez-vous voir cette exposition de peinture ? » Que leur demande-t-elle ?

B/ Stéphanie téléphone à Victor : « Comment s'est passé ton voyage ? Avec qui es-tu parti ? Pourquoi ne m'écris-tu pas ? »
→ *Elle lui demande* ***comment*** *s'est passé* ***son*** *voyage,* ***avec qui il*** *est parti,* ***pourquoi il*** *ne* ***lui*** *écrit pas.*

Stéphanie pose d'autres questions à son ami. Elle lui demande ......
1. « Comment vas-tu ? Où vis-tu ? »
2. « Pourquoi ne m'as-tu pas téléphoné avant de partir ? »
3. « Combien de temps resteras-tu là-bas ? Quel temps fait-il ? »
4. « Qui vois-tu ? À qui parles-tu ? Avec qui passes-tu tes soirées ? »
5. « Quand reviendras-tu ? »

C/ « **Qu'est-ce que** tu penses de cette ville ? »
→ *Elle lui demande* ***ce qu'il*** *pense de cette ville.*

Elle lui demande encore :
1. « Qu'est-ce que tu fais ? »
2. « Qu'est-ce que tu lis ? »
3. « Qu'est-ce que tu écoutes comme musique ? »
4. « Qu'est-ce que tu regardes ? »
5. « Qu'est-ce que tu vas visiter ? »

D/ « **Qu'est-ce qui** t'a attiré dans cette ville ? »
→ *Elle lui demande* ***ce qui l'a*** *attiré dans cette ville.*

Elle lui demande encore :
1. « Qu'est-ce qui t'intéresse ? »
2. « Qu'est-ce qui te plaît ? »
3. « Qu'est-ce qui est beau, à ton avis ? »
4. « Qu'est-ce qui est nouveau pour toi ? »
5. « Qu'est-ce qui est différent ? »

3. Mettez les phrases au style indirect

« Écris-moi vite ! »
→ *Elle lui demande* ***de lui écrire*** *vite.*

Et elle lui demande :
1. « Réponds-moi ! »
2. « Dis-moi qui est avec toi. »
3. « Ne reste pas silencieux. »
4. « Réfléchis ! »
5. « Reviens vite ! »

4. Même exercice (attention, le premier verbe est au passé) :

A/ Victor a enfin répondu à Stéphanie : « Je vais bien, je pense à toi ».
→ *Il lui a enfin répondu* ***qu'il allait*** *bien et* ***qu'il pensait à elle.***

Il lui a dit encore :
1. « Je lis beaucoup. »
2. « Je travaille beaucoup. »
3. « Je me promène. »
4. « Je vois beaucoup de gens. »
5. « Je me trouve très bien ici. »

B/ « Je suis parti dimanche dernier, mon voyage a été assez long. »
→ *Il lui a dit* ***qu'il était parti le dimanche précédent, et que son*** *voyage* ***avait*** *été assez long.*

Il lui a dit encore :
1. « Je suis arrivé à Nice dimanche dernier à 21 heures. »
2. « Christian est venu me chercher. »
3. « Nous sommes allés dîner au restaurant. »
4. « Nous avons rencontré des amis de Christian. »
5. « Et nous avons fini la soirée chez l'un d'eux. »

C/ « Je reviendrai dimanche prochain. »
→ *Il lui a dit* ***qu'il reviendrait le dimanche suivant.***

Il lui a dit encore :
1. « Je te téléphonerai jeudi prochain. »
2. « Ou je t'écrirai pour te dire l'heure de mon arrivée. »
3. « Je te dirai tout. »
4. « Je te raconterai mes visites, mes rencontres, mes surprises. »
5. « Et je ne repartirai plus. »

D/ Et enfin, il lui a demandé : « Qu'est-ce que tu as fait hier ? Que fais-tu aujourd'hui ? Qui verras-tu demain ? »
→ *Il lui a enfin demandé ce qu'elle avait fait* ***la veille****, ce qu'elle faisait* ***ce jour-là****, qui elle verrait* ***le lendemain****.*

Il lui a encore demandé :
1. « Où es-tu allée hier ? »
2. « Comment as-tu passé ta journée ? »
3. « Qu'est-ce que tu fais aujourd'hui ? »
4. « Que feras-tu demain ? »
5. « M'aimes-tu encore ? »

5. Mettez le dialogue suivant au style indirect :

Nicolas, un petit garçon de six ans, a demandé à son père :
« Pourquoi est-ce que tante Véra a un gros ventre ? »
« Elle attend un bébé » lui a répondu son père.
« Comment est-ce qu'il est allé dans son ventre ? » lui a alors demandé Nicolas.
Son père lui a expliqué : « Les hommes et les femmes ont de petites graines et parfois deux petites graines se rencontrent dans le ventre de la maman, l'une d'elles grossit et devient un bébé. »
« Est-ce que je pourrai avoir un bébé moi aussi ? » lui a demandé Nicolas.
« Seules les femmes peuvent en avoir. » lui a répondu son père.
Mais Nicolas lui a fait remarquer : « Oncle Bernard a un gros ventre. » Et il lui a demandé : « Est-ce qu'il va avoir un bébé ? »
« Oncle Bernard a un gros ventre parce qu'il a trop mangé » lui a dit son père.
« Il a trop mangé de bébés ? » lui a demandé Nicolas.
Son père lui a dit alors : « Arrête ! Ne me pose plus de questions ! Va jouer dans ta chambre ! »
Et il a ajouté : « Tu comprendras tout cela quand tu seras un peu plus grand. »

6. Mettez le texte suivant au style direct :

Martine a écrit à Olivier qu'elle passait de bonnes vacances, qu'il faisait beau, qu'il y avait beaucoup de neige, bref, que tout allait bien là-bas.

Elle lui a dit qu'elle était partie le samedi précédent, qu'elle était arrivée sous la pluie, mais que, heureusement, la neige s'était mise à tomber très vite.

Elle lui a dit encore que, la veille, elle avait skié toute la journée et que, ce jour-là, elle avait très mal aux jambes. Mais elle a ajouté que, le lendemain, tout irait bien et qu'elle recommencerait à skier.

Elle lui a expliqué qu'elle avait l'intention de prendre une piste noire, que cela ne lui faisait pas peur.

Elle lui a enfin annoncé qu'elle arriverait le samedi suivant et lui a demandé s'il pourrait venir la chercher à la gare car elle avait beaucoup de bagages. Elle a terminé sa lettre en disant que ce serait une bonne occasion de se revoir !

7.

A/ Un journaliste s'entretient avec un acteur célèbre. Imaginez les questions qu'il lui pose, puis racontez leur conversation au style indirect.

B/ Un jeune homme rencontre une jeune fille. Celle-ci lui plaît beaucoup. Imaginez le dialogue au style indirect.

C/ Vous faites un sondage pour un nouveau produit. Imaginez les questions que vous poseriez, puis mettez-les au style indirect.

Imprimé en France par I.M.E. - 25-Baume-les-Dames
Dépôt légal n° 3611-06/1991
Collection n° 23 - Edition n° 03
15/4787/6